Para

De

Fecha

La Trilogía de Las Batallas

Apóstol Dr. Mario H. Rivera

&

Pastora Luz Rivera

Publicado por
LAC Publications

Primera Edición 2020

ISBN: 978-1-735-27443-0

Diseño de la portado: Juan Luque

Impreso en USA (Printed in USA)
Categoría: Guerra Espiritual

Índice

Parte III
Los Sellos de Jezabel

Los Asignamientos Del Mundo Espiritual

El siguiente material que esta al alcance de sus manos tiene como propósito despertar un interés de búsqueda de logros, así como anhelo de alcanzar la completa libertad que Dios nos ha prometido a través de su palabra.

A pesar de tanta Teología dentro de las iglesias no se ha experimentado la efectividad de la verdadera libertad que como hijos de Dios se debería de experimentar, sin embargo vamos a estudiar a la manera del ministerio terrenal de Jesucristo a como confrontar poderes espirituales sabiendo que estamos en un mundo donde existe una representación inmaterial del reino de las tinieblas.

Manejando los términos ya conocidos de una esfera de tipo espiritual veremos ahora la realidad de una diversidad de estructuras de parte del reino de las tinieblas que tienen como objetivo, incursionar el mundo material para robar, matar y destruir.

Este estudio dejará clara la idea de lo que se refiere a un espíritu negativo que fue asignado a una persona, familia, etc. pero también veremos las estrategias de cómo llegar al rompimiento de ese asignamiento. Una de las figuras que vemos a la luz de la palabra es el Hombree fuerte que se encuentra con dominio sobre una región especifica, y es posible que mucha gente este pasando los estragos del asignamiento de una figura de esta potestad que en los últimos años pueda ser que le este despojando de todo lo que posee.

Existe por concepto lo que significa un espíritu destructor, un espíritu asignado y un espíritu inactivo; cada uno tiene una tarea la cual debemos de conocer para saber de que manera podemos establecer una estrategia de contra-ataque; menciono por ejemplo algunos de los síntomas y algunas actitudes que se evidencian cuando actúa un de espíritu esta clase de; La gente se encontrará peleando con el mismo problema una y otra vez. Aunque pida consejería o ayuda no conseguirá nada hasta que sea REMOVIDO ese asignamiento.

Un consejo solo servirá cuando sea roto el poder del espíritu asignado. La gente pide consejería matrimonial sin revisar antes si hay algún asignamiento de un espíritu familiar, el cual esta estorbando su matrimonio.

Hoy en día existen muchos traumas y frustraciones en adultos creyentes; que son la consecuencia del "abuso" que como niños experimentaron siendo victimas, en ese momento les fue decretado un asignamiento y luego hoy en día, se ven tremendamente influenciados para continuar un circulo de "abusar" a otros niños; ya que los espíritus que aprovecharon la situación se mueven por medio de orden cíclico.

Sea participe de los resultados de la Estrategia poderosa de Dios a través de los ministerios terrenales que fueron dejados como armas en auxilio de la vida de los creyentes como usted que anhelan experimentar una completa libertad. Conozca una nueva porción de la palabra de Dios revelada a su siervo, el autor de este libro Apóstol

Mario Rivera.

La Psicología Satánica Contra La Mente Del Creyente

Alrededor del mundo, siete billones de personas sufren de un mismo problema, el cual tiene aproximadamente seis mil años de antigüedad. Nacimos con él y la gente ha sufrido mucho tratando de ser libre del mismo, que es la pérdida del pensamiento de Dios, es decir, no tener la mentalidad de arriba.

Todos los conflictos que experimentamos en el mundo natural están conectados al mundo espiritual y, la forma para que sean conectados desde lo natural, es a través de la mente, (conflictos en el mundo espiritual y natural).

En este material de investigación estaré utilizando la expresión "La psicología de Satanás" para referirme a lo que está en la mente del enemigo para realizar ataques a la mente del creyente. Esa estrategia es un ataque psicológico de Satanás el cual está basado en activar un conocimiento por otra vía.

Confiamos que, por medio de estas enseñanzas, el lector sea iluminado para alcanzar la verdadera RENOVACIÓN de la mente.

Los Sellos De Jezabel

Jezabel forma parte de la historia bíblica, la cual tuvo que ver con una de las etapas de apostasía del pueblo de Israel. Lo impresionante de esto es que en esa historia bíblica Jezabel fue destruida literalmente, pero en Apocalipsis se menciona nuevamente así: "Permites a esa mujer Jezabel"; Eso significa que después de su muerte ella entra en categoría de Potestad demoníaca.

Tolerar es permitir, darle lugar o parte, es estar de acuerdo. No cabe duda que en ella operaba una potestad del mundo espiritual, esa potestad por su puesto es más antigua que la persona de Jezabel y que por sus hechos su nombre quedó codificado para reconocerla según sus operaciones.

PARTE I
LOS
ASIGNAMIENTOS
DEL MUNDO
ESPIRITUAL

Capítulo 1

Los Asignamientos de los Espíritus Destructores

Actualmente se ha despertado un interés en el pueblo de Dios para conocer acerca de la guerra espiritual que revela las estrategias diabólicas y a la vez nos enseña cómo aplicar principios y decretos que llevan a la liberación de muchos hijos de Dios.

Esto ha dado lugar a reconocer que, a pesar de tanta teología que existe en la iglesia, no han logrado ayudar efectivamente a la gente en sus problemas espirituales, de manera que sea reconocido uno de los puntos que Jesucristo manejó en su ministerio, lo cual es la confrontación contra fuerzas invisibles.

Para conocer acerca de la guerra espiritual el pueblo de Dios está reflexionando bastante en los puntos teológicos que ha conservado por mucho tiempo, teología que se maneja en algunos lugares que creen que no es real el mundo espiritual. La gente tradicionalmente ha pensado que viniendo a Cristo ya no hay necesidad de que el alma sea restaurada o liberada y esos errores han llevado a que muchas personas vivan con grandes necesidades dentro del pueblo de Dios, las cuales no se van a solucionar naturalmente, sino hasta que haya un cambio de mentalidad, y el mismo se puede dar solamente cuando la revelación es compartida.

Guerra espiritual no es gritar desde un púlpito "fuera, fuera, fuera" hasta dañar la garganta, guerra espiritual es una revelación que nos muestra las estrategias del enemigo y nos enseña los principios que hay que aplicar para que haya una completa liberación en nuestra alma.

La teología no ha servido para mucho, más bien se ha opuesto a lo que es la enseñanza de la liberación. Reconocer lo que está pasando es la única forma para que nosotros podamos ver y comprender la manera como Jesús se movía en sus días, por medio de un ministerio tan glorioso que solamente lo manifestó por tres años y medio en la tierra, un ministerio que fue de enseñanza y de prédica.

Jesús enseñó la doctrina del Reino y luego comenzó a sanar, a liberar, a hacer milagros y prodigios, acompañando la enseñanza con señales. Él nos deja ver que uno de los puntos que manejó, (el cual muchos ministros están reconociendo en el día de hoy) es, que confrontó fuerzas espirituales invisibles y las sometió a la obediencia, dejando libre a los cautivos y dándole la oportunidad de una nueva vida o de la vida en abundancia, que es la que Dios nos está enseñando siempre.

Tenemos vida biológica y la promesa de Dios de vida abundante y luego la vida eterna, es un proceso de tres clases de vida.

- **Biológica**, la que usted tiene en este momento,
- **vida abundante**, que ya no se sienta angustiado ni oprimido por fuerzas invisibles de las tinieblas y
- **vida eterna** que es la que vamos a tener cuando estemos en la presencia de Dios.

Jesús manejó varias experiencias, pero me llama la atención lo que leemos en el Evangelio de Mateo 12:29-30 [29] "¿O cómo puede alguien entrar en la casa de un hombre fuerte y saquear sus bienes, si primero no lo ata? Y entonces saqueará su casa. [30] El que no está conmigo, está contra mí; y el que no recoge conmigo, desparrama."

Este pasaje tiene poderosa revelación concerniente a cierta clase de poderes espirituales que son asignados por el enemigo de Dios y de nuestra alma en contra de la vida de creyentes y en regiones de la tierra. La casa de un hombre fuerte es el dominio que ha ejercido una entidad sobre una región, literalmente sobre una casa o sobre una vida.

El término "saquear sus bienes" se origina de la idea de que cuando un hombre, ya sea gobernador o rey, invadía cierta región y conquistaba, no solamente tomaba esclavos y llevaba cautiva a la gente sino que se apoderaba también de todos los bienes materiales que había en aquella ciudad.

Por ejemplo, Israel fue cautivado por Babilonia, el rey Nabucodonosor invadió Jerusalén, tomó gente cautiva, robó utensilios de la casa del Señor, tomó todo lo sagrado y se lo llevó. Eso se convirtió en botín de aquel rey, por lo que el verso anterior nos habla de una casa que no era la casa legítimamente del hombre fuerte sino que se refiere a la casa de los creyentes, es decir, casa suya o casa mía donde una potestad, que la menciona como "hombre fuerte".

Este llegó y robó todas las cosas buenas que habían dentro de esa casa, no solamente situaciones materiales sino espirituales y morales, valores espirituales que dan estabilidad a una familia, a una vida. El hombre fuerte llegó, robó y ahora tiene un botín y Jesús dice que nadie puede entrar a ese lugar, a esa casa donde está el dominio de esa potestad, saquear y tomar lo que él ha tomado, si primero no lo ata, lo cual es la aplicación de los principios de guerra espiritual que usted ejerce para recuperar lo que le pertenece.

Es posible que haya gente que está batallando desde hace tiempo con ciertas cosas porque le ha sido asignado un espíritu de **destrucción.** ¿Cuántos no se han dado cuenta de lo que el hombre fuerte ha robado de lo bueno que había en su vida o en su casa? Mi deseo es que usted se vuelva un hombre o una mujer guerrera, se levante y diga: "Yo voy a atar a ese hombre fuerte y voy a saquear los bienes porque son míos, me pertenecen". Tenemos que llenarnos de coraje y no darnos por vencidos.

La Realidad de la Esfera Espiritual:

Mucha gente en regiones, en iglesias y familias tiene espíritus que fueron asignados por el diablo. Estos espíritus esperan a que la gente arribe o llegue a cierto nivel de su vida donde están supuestos a recibir o llegar a ser algo grande. El trabajo de estos espíritus es **destruir** esa oportunidad, matar la promoción, acabar con la transición y que la persona sea sacada fuera de la comisión que Dios tenía para él o ella.

Espíritus Destructores:

Estos espíritus tratarán de matar el potencial de la gente, los deseos, el futuro, las relaciones, los planes, las promociones espirituales, y más.

Los Espíritus Asignados

Hay espíritus que son asignados a individuos o familias, eso significa que será el espíritu principal con el que batallarán toda su vida si no se ROMPE el asignamiento. El espíritu que fue asignado al padre o madre puede pasar a las simientes. Este espíritu regularmente comienza a atacar a su víctima cuando es muy joven, por ello es necesario saber cómo romper con los espíritus familiares.

Espíritus Inactivos

Hay tiempos donde el espíritu asignado de las tiniebla permanece INACTIVO, pero cuando la persona está a punto de entrar en un mover poderoso de Dios, se levanta para DESTRUIR y lograr así que su víctima vuelva a la posición inferior o de bajo nivel. Cada vez que se levanta este espíritu el resultado es el siguiente:

- La gente se encontrará peleando con el mismo problema una y otra vez.
- Aunque pida consejería o ayuda no conseguirá nada hasta que sea REMOVIDO ese asignamiento.
- Un consejo solo servirá cuando sea roto el

poder del espíritu asignado.

- Por ejemplo, la gente pide consejería matrimonial sin haber antes haber revisado si hay algún asignamiento de un espíritu familiar.

> Ciclos de pequeñas victorias son seguidos por derrotas que se repetirán toda su vida.

La Diferencia de los Espíritus Asignados:

Aquí hay algo importante que debo decir, hay mucha gente que no logra distinguir **la diferencia** entre un **espíritu asignado a una persona,** y/o **una persona endemoniada.** De manera que alguien no necesariamente está endemoniada pero si puede estar batallan-do contra un espíritu asignado.

2ª. Corintios 12:7 Y dada la extraordinaria grandeza de las revelaciones, por esta razón, para impedir que me enalteciera, **me fue dada una espina en la carne, un mensajero de Satanás que me abofetee,** para que no me enaltezca.

Esta clase de espíritus tratarán de DESTRUIR el

carácter del creyente el cual Dios necesita para realizar una comisión.

La Dinámica del Asignamiento Espiritual:

Mucha gente hace lo que hace porque son motivados y dominados por fuerzas espirituales invisibles. Es posible que en su interior ellos no desean hacer esas cosas pero no tienen poder contra esas fuerzas que están operando en sus vidas.

Llegar a entender como es la dinámica de los espíritus asignados puede llevarnos a poder discernirlos y derrotarlos antes de que realicen su trabajo. Por ejemplo:

Escenario Siniestro:

Los espíritus asignados son creadores de "Escenarios Siniestros". Orquestan u organizan los eventos para reunir a dos o varias personas, con espíritus asignados cada uno, que trabajan en un mismo plan.

Dos espíritus asignados afines, uno será la

víctima y el otro el victimario.
Es como decir la presa y el cazador.

Niños con el Asignamiento de Espíritu de Abuso

Esto significa que un niño que le ha sido asignado un espíritu de abuso sexual puede estar entre cincuenta niños en una habitación o un lugar y ahí llega un **adulto**, con un asignamiento de espíritu de violación de niño, y entre los cincuenta niños escogerá al que tiene un asignamiento de **abuso**. Por eso se han dado los casos de niños que son abusados más de una vez en su vida.

Mujeres con el Asignamiento de Espíritu de Violación

De la misma manera, una mujer a la que se le ha asignado un espíritu de violación atraerá hacia ella a una persona que tenga el asignamiento de un espíritu de violador sexual. Si no se ROMPE con el asignamiento puede darse en la niñez o en cualquier etapa de su vida.

Espíritus Asignados de Fornicación o Adulterio

Cuando dos personas cometen esta falta, sin haber planificado con anterioridad, simplemente fue el encuentro de dos personas que tenían asignamiento espiritual parecido. Hay hombres o mujeres que están felizmente casados y de repente surgió un evento que dio lugar al contacto de estos espíritus que influenciaron a cometer el hecho.

Espíritu Asignado de Pobreza

Cuando un espíritu de pobreza ha sido asignado puede destruir las finanzas de una persona. La gente puede participar en seminario de finanzas pero los problemas financieros seguirán porque el espíritu de pobreza no tiene que ver con la ECONOMIA; es un asunto espiritual. El asignamiento del espíritu de pobreza atraerá de nuevo el mal a la persona hasta que se rompa. Se podrá cambiar de ciudad, pero el problema lo seguirá por que le ha sido asignado el espíritu de pobreza.

Espíritus Específicos Asignados

Existen espíritus específicos asignados según el género sexual y algunos espíritus que prevalecen más en un sexo que en el otro.

Sexo Masculino

Por ejemplo: El espíritu de perversión y pornografía es específicamente asignado más al **hombre** que a la mujer. Esto no quiere decir que en la mujer no opere este mal pero es más frecuente en el hombre.

- El espíritu de desempleo puede ser más frecuente en el hombre que en la mujer.
- El espíritu de homicidio es más frecuente en el hombre que en la mujer.
- El espíritu de decisiones equivocadas y espontaneas es más frecuente en el hombre

que en la mujer.

Sexo Femenino

Otro ejemplo: El espíritu de rechazo y manipulación es más frecuente en la mujer que en el hombre.

- El espíritu de abandono es más frecuente en la mujer que en el hombre.
- El espíritu de acosamiento sexual es más frecuente en la mujer que en el hombre.
- El espíritu de depresión es más frecuente en la mujer que en el hombre.

Los Espíritus Asignados Llamados Territoriales

Además, existen espíritus territoriales asignados para poner bajo opresión a la gente y obligarla a moverse varias veces al año de ciudad. Nunca están tranquilos donde vayan y nunca van a ningún lugar, solo están bajo la opresión de un espíritu asignado que los mueve de un lado a otro. Es un espíritu asignado territorial que opera en inestabilidad, como que empujara a la gente a ir de un lugar a otro

Capítulo 2

Los Ciclos de los Espíritus Asignados

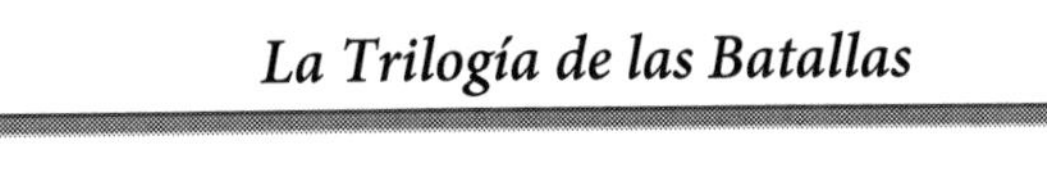

La principal función de un espíritu asignado es destruir y hay dos cosas que debemos entender con relación a estos espíritus destructores.

Asignados Como Espíritus Territoriales

Un hombre fuerte no llega solo por ser eso sino que son asignados a ciudades o regiones, siendo los responsables de destruirlas influenciando a las personas con drogas, prostitución, violencia, crímenes, racismo, es decir, situaciones que destruyen la paz de una ciudad.

Cuando los jóvenes caen en drogas se destruye la familia, los hijos van a las prisiones o andan en las calles. Cuando una jovencita es violada nos encontramos con una situación donde se tendrá que luchar con el trauma o la secuencia que deja aquello, o este espíritu destructor se aprovecha de las necesidades de muchas mujeres y las empuja a la prostitución. Aquella ciudad es destruida por todas estas situaciones.

En 1ª. Corintios 15:32 el Apóstol Pablo dice: Si como hombre batallé en Éfeso contra las fieras, ...

habla de como reconocer los espíritus Pablo llega a una región y escribe que encontró oposición y de que sabía contra quien tenía que enfrentarse. Vemos otra historia, donde Daniel describe que el príncipe del reino de Persia se opuso, durante veintiún días, cuando él oraba a Dios. Se encontró con una potestad que se identifica como "el príncipe del reino de Persia".

Daniel 10:13 El príncipe del reino de Persia se me opuso durante veintiún días; pero he aquí que Miguel, uno de los principales príncipes, vino para ayudarme; y quedé allí con los reyes de Persia.

Este verso es uno de los más profundos y fuertes que apoyan la doctrina de los poderes espirituales con los cuales tenemos que batallar. Podemos ver la alta concentración de las manifestaciones del dominio de las tinieblas y de la destrucción en áreas geográficas, son muestras de que ahí hay un espíritu destructor que está trabajando.

Espíritus Asignados a Individuos

El otro tipo de asignamiento es el asignado a familias o a personas específicamente. El blanco de ataque son los individuos y buscan destruir son futuro, potencial, planes, su promoción, su visión, su destino. Jamás en mi vida había tocado estos ángulos como lo estoy haciendo hoy, y no estoy hablando de personas que están endemoniadas ni que tienen un espíritu inmundo en sus vidas.

Dios me ha permitido ver la diferencia entre problemas espirituales de una persona por causa de demonios o espíritus inmundos que hay dentro de ella. He visto también problemas de la esfera almática que son exactamente los mismos del primer ejemplo que le di, pero el segundo ejemplo del cual hablo, las personas no están endemoniadas ni tienen espíritus inmundos pero sus problemas son parecidos al otro que si está posesionado.

Estoy hablando de espíritus asignados, repito, donde la persona no está endemoniada, no tiene por dentro al espíritu inmundo pero si tiene problemas por causas de un espíritu que ha sido asignado a su vida o a su familia, es decir, que la persona o familia ha llegado a ser el blanco de ataque de potestades que buscan destruir su futuro, el potencial y sus planes, su promoción en la vida.

¿Por qué puedo decir que los espíritus asignados no necesariamente significa que la persona esté endemoniada? Porque encuentro dos versos en la Biblia, uno se encuentra en el evangelio de Lucas, (quien era un apóstol) y Jesús le habla y le dice:

Lucas 22:31-32 Simón, Simón, mira que Satanás **os ha reclamado para zarandearos como a trigo;** [32] pero yo he rogado por ti para que tu fe no falle; y tú, una vez que hayas regresado, fortalece a tus hermanos.

Él era un apóstol, un discípulo de Jesús, un hombre con unción de carácter, pero Satanás, al ver eso y las decisiones, las determinaciones, las convicciones de Pedro, discernió para donde iba y que si no lo paraba le iba a causar problemas en el futuro al reino de las tinieblas. Estando Jesús literalmente con ellos, estando el reino de Dios entre ellos, estando la fuente del poder del cristianismo con ellos, Pedro fue pedido para asignarle una potestad que se iba a levantar para destruirlo porque ya se había dado cuenta que le iban a dar las llaves del reino y el /rhema/ de que: "todo lo que ates en la tierra será atado en el cielo".

Tú y yo no estamos supuestos a quedarnos como estamos, Dios tiene un plan maravilloso, Él te quiere levantar y hacerte crecer, desarrollar y usar, por eso es que las tinieblas asignan potestades.

Dios quiere que seamos conscientes de eso, estos temas no son para afligir a nadie sino para que nos demos cuenta quienes somos y lo que debemos de hacer, en el nombre de Jesús, para romper con lo que quiera atacar.

2ª. Corintios 12:7 "Y dada la extraordinaria grandeza de las revelaciones, por esta razón, para impedir que me enalteciera, me fue dada una espina en la carne, un mensajero de Satanás que me abofetee, para que no me enaltezca".

Estos versos del Apóstol Pablo, (el perito arquitecto de la Iglesia), me cambiaron definitivamente la idea que tenía acerca de lo que es un hombre fuerte, una potestad asignada ya sea en una región o a una vida.

Espíritus Asignados a Individuos

Cuando la forma del espíritu destructor es un asignamiento a individuos específicamente o familias, significa: que ellos serán o son el "Blanco de ataque". Si las personas no saben, o no son consientes de esos ataques y deciden romper con ellos, la situación no cambiará durante su vida.

Hay que saber detectar cuando un espíritu destructor está operando sobre un individuo o familia, porque éste por supuesto, no va a venir a decirle como es que lo va a destruir si lo que menos quieren es ser detectados. Pero sí podemos nosotros ver la manera como se puede detectar a través de la bendición de la revelación de la Palabra, y del conocimiento de este tema que nos enseña la estrategia, la revelación de los principios para que los apliquemos a nuestra vida para que seamos victoriosos saliendo de cualquier problema.

El principio es: "Nada va cambiar del problema hasta que se reconozca que se es víctima del BLANCO de un espíritu DESTRUCTOR asignado por el enemigo de nuestra alma". Mucha gente es destruida porque nunca supieron que era el blanco de un destructor. Otros no saben que si no son consientes de esos ataques y si no deciden romper con ello, su situación no cambiará durante su vida

Cuando una persona está bajo ataque podemos ver experiencias de crisis repentinas que pasan en la vida de esta que no se esperaban, llegaron de momento, no avisaron, de repente apareció el problema, llegó la crisis si aviso previo, te sorprenden como:

- muertes prematuras,
- retrocesos financieros,
- enfermedades crónicas sin antecedente o historia familiar de dicha enfermedad,
- accidentes,

- pérdidas de bienes
- o algún otro desastre llegan de momento y son experiencias fuertes.

¿Porque? ¿quién se recupera fácilmente de muertes prematuras, de la noticia de que ha venido una enfermedad que no tiene cura y que no hay ni datos ancestrales, no hay historia familiar de esa enfermedad?

Fue por un chequeo médico al doctor porque le llegó un dolor y el médico no encuentra el diagnóstico, no sabe como se llama, como llegó y le dice que usted está bien, pero la persona se siente mal y empeora sin saber por qué, y es que no es una situación que tenga una respuesta natural sino que se encuentra en un plano espiritual. Si, muchas de estas cosas se dan en el pueblo del Señor, en muchas familias y lamentablemente tengo que decirle que no será cambiado el problema hasta que la persona reconozca que es víctima del blanco de un espíritu destructor que ha sido asignado por el enemigo de su alma.

Muchos cristianos tienen problemas de esta índole sin saber como solucionarlos porque no creen en la guerra espiritual, porque el autoexamen, el inventario que hagamos en nuestra vida y en nuestra familia, nos llevará a sentir interiormente la necesidad por un cambio.

Entiendo que mucha gente es destruida porque nunca supieron que fueron el blanco de un destructor, otros no saben que si no llegan a la conciencia de estos ataques y deciden romper con esta situación nunca cambiará su vida, ...nunca, porque ser el blanco de un destructor no es simple o fácil, están en juego muchas cosas y el Señor Jesús dice; "nadie va a entrar a la casa del hombre fuerte si primero no lo ata y saqueará sus bienes", porque la intención es recuperar los bienes que habían perdido pero para ello hay que atarlo y entender que se ha tomado posesión de algo que nos pertenece a nosotros.

Está en usted y en mi, decidir si queremos ser víctimas del destructor. Le presentaré un ejemplo personal: - yo me di cuenta de que a mi familia le habían designado un destructor personal porque investigué que la mayor parte de mujeres se quedaron sin esposo, el destructor llegó a cierta generación de mi familia y mató a todos los esposos. Tengo tías que no tienen esposo, mi madre se quedó sin esposo, entonces hay que entender y hacer un inventario.

¿Cuántas familias no pueden ver los fracaso en los hogares, o muchas enfermedades o muertes? Después de un problema entran a otro y nada cambia, años con el mismo problema. No es asunto de teología o de mucha letra, porque hay personas que saben mucho de Biblia, han estudiado pero no encuentran el por qué de tantos problemas en su familia.

Me llegan correos electrónicos de personas que me cuentan la seguidilla de problemas que tienen, me dicen que van a la iglesia, leen la Biblia pero me piden una explicación a lo que les sucede pues no la encuentran, no son cristianos malos, no andan haciendo nada malo pero les ha llegado una tragedia tras otra y lo que sucede es que no se han dado cuenta que un espíritu les ha sido asignado y se levanta cada vez que aquella persona va a entrar en un nuevo mover de Dios y lo aplasta con los problemas. ¡Vale la pena conocer acerca de esto!

Las Características de los espíritus Destructores Asignados

- Siempre tratarán de no ser detectados
- No siempre se revelan de la misma manera
- Se pueden manifestar de manera que no se espera
- Están conectados con otros espíritus formando una cadena de operación.
- Pueden parecer muy opuestos en su trabajo a otro espíritu pero están en el mismo trabajo.

Ejemplo:

- El espíritu de adulterio y el espíritu de pobreza son gobernados por el mismo espíritu DESTRUCTOR.
- El espíritu de violación y el espíritu de asesinato son gemelos.
- El alcoholismo y el adicto al trabajo es el

mismo espíritu.

La Estrategia No Detectable:

Una de las estrategias que el DESTRUCTOR utiliza para permanecer no detectado son los CICLOS. El asignamiento de un destructor provoca ciclos de derrota que hacen que una persona viva durante, 10, 20, 40 o 50 años batallando con la misma fuerza espiritual en su vida y crean que es circunstancial.

¿No le ha sucedido así?, ¿No ha detectado si el problema más grave que le sucedió últimamente no le pasó también años atrás? Llega por temporadas, va por temporadas, regresa por temporadas, y se va por temporadas, eso repito, es para no ser detectado. Solo hay un corto tiempo de respiro y la gente dice: "ay, gracias a Dios que ya pasó esto, pero luego vuelve otra vez y otra vez. Mientras esto se mantenga así, la gente no detecta que es un DESTRUCTOR asignado y puede llegar a culpar a otras personas o a las circunstancias y mientras eso pasa el espíritu destructor permanece SEGURO en su operación.

Base que respalda mi declaración de que se mueven cíclicamente es la siguiente:

¿Cree usted que un sicario va a querer ser detectado cuando se le asigna un trabajo para matar a alguien?. Lo que menos quiere es ser detectado, por lo que lo maneja todo muy cautelosamente, muy estratégicamente, con pasos que va cuidando a manera de no dejar evidencias y que aquél hecho sea efectivo y poder continuar como un sicario recibiendo bienes. Así son estos espíritus destructores, quieren permanecer seguros en lo que están haciendo.

¿De dónde me baso para decir que son cíclicos?, ¿Qué declaración me respalda para decir que se mueven así para no ser detectados?, Me baso en una pasaje bíblico que nos deja ver a otro personaje que no estaba endemoniado pero que le asignaron a alguien para que le destruyera la etapa a la cual iba a entrar. ¿Tiene idea de quién es este personaje?, le voy a hablar de el Señor Jesús.

RVA **Lucas 4:1-2** Entonces Jesús, lleno del Espíritu

Santo, volvió del Jordán y fue llevado por el Espíritu al desierto, [2] por cuarenta días, y era tentado por el diablo. No comió nada en aquellos días; y cuando fueron cumplidos, tuvo hambre.

Lucas 4:13 Cuando el diablo acabó toda tentación, **se apartó de él por algún tiempo.** (Temporada, tiempo, oportunidad, periodo =KAIRO)

En este pasaje se deja ver como SATANAS trató de DESTRUIR el programa de Dios en la vida de nuestro Señor Jesús. Note que antes que Jesús iniciara su ministerio se levantó el DESTRUCTOR para matar el futuro del Señor. Los ciclos de derrota o ataques en temporadas es una de las maneras el diablo utiliza para poder sostenerse, dañando a una persona durante toda una vida.

Consejo Bíblico para vencer al destructor:

Nahúm, el profeta de Dios, exhortó a fortalecer el baluarte. Entre los sinónimos de la palabra baluarte encontramos la palabra pentagonal, esto significa una fortaleza o un edificio de 5 puntos. El gobierno de los Estados Unidos tiene su pentágono. Ejemplo: Fortaleza o baluarte (pentagonal, de cinco puntos) como los cinco ministerios. Nos está diciendo que los cinco ministerios jugaran un papel importante para ROMPER con el asignamiento del espíritu DESTRUCTOR.

RVA **Nahúm 2:1 El destructor ha subido contra ti.** Guarda el baluarte, observa el camino, cíñete la cintura, esfuérzate mucho.

Nahúm 2:1 " El destructor a subido contra ti" que destruye dividiendo...

Actúa así porque una casa dividida no prospera, es decir, alguien que es dividido en sus pensamientos, que es doble de ánimo es inconstante en sus caminos.

> El hombre fuerte o destructor asignado, solo podrá ser derrotado si "PRIMERO"...

Al inicio le mencione que el pasaje de Mateo

12:29 contiene poderosa revelación.

Mateo 12:29-30 ¿O cómo puede alguien entrar en la casa de un hombre fuerte y saquear sus bienes, si primero no lo ata? Y entonces saqueará su casa. [30] El que no está conmigo, está contra mí; y el que no recoge conmigo, desparrama.

En este verso se nos exhorta a lo que debe de ser primero para vencer esta potestad llamada HOMBRE FUERTE o DESTRUCTOR. Lo PRIMERO que debe de ser, según la biblia después de Cristo, o que Cristo estableció para vencer después de Él, es un orden de reconocimiento, el cual debe ser la intervención que PRIMERO debe de darse.

LBA 1ª. Corintios 12:28 **Y en la iglesia, Dios ha designado: primeramente, apóstoles;** en segundo lugar, profetas; en tercer lugar, maestros; luego, milagros; después, dones de sanidad, ayudas, administraciones, diversas clases de lenguas.

El diablo asigna hombres fuertes y destructores pero en la Iglesia Dios ha designado PRIMERO apóstoles, luego profetas, después maestros, milagros y dones de sanidad, evangelistas y después administradores, pastores.

Una de las funciones de un apóstol es confrontar, es batallar y vencer fortalezas espirituales, destruir el asignamiento Satánico, neutralizar las influencias demoníacas en las regiones, en las familias o individuos.

Cómo se Infiltra el Espíritu Destructor

Una de las formas que utiliza un espíritu que fue asignado para infiltrarse es trabajar por medio de los deseos y en el siguiente capítulo le enseñaré como es que se puede unir un deseo con un poder demoníaco.

> Muchos después de leer este libro van a tener que cambiar los deseos que tienen porque el cambio de deseos es un poder que le va a liberar.

Capítulo 3

Las Puertas de Acceso del Espíritu Destructor Asignado

En este capítulo quiero explicar para quienes se dan y para quienes van dirigidos los asignamientos, pero también como se pueden romper para hacer las cosas como a Dios le agradan, despojándonos de las que le desagradan, obteniendo así la victoria para poder ser dignos de escapar. Mucha gente, repito, no logra entender como es que se puede dar una relación entre un deseo y un poder demoníaco, pero Marcos 4:19 dice: "Pero las preocupaciones del mundo y el engaño de la riqueza y los deseos de las demás cosas entran y ahogan la palabra y se vuelve estéril".

Lucas 11:21-22 Cuando el hombre fuerte y armado guarda su propia casa, sus posesiones están en paz. [22] Pero si viene uno más fuerte que él y le vence, le toma todas sus armas en que confiaba y reparte sus despojos.

Estos asignamientos no vienen necesariamente en contra de una persona que esté endemoniada o con problemas interiores de espíritus inmundos, sino que ésta potestad, básicamente surge en un momento significativo del creyente con la intención de destruir. Utilizo la palabra "destruir" intencionalmente, para enseñarle que viene a matar, pero lo que busca matar es el buen deseo que tiene una persona de agradar a Dios y hacer su voluntad, el deseo por ser un mejor hijo de Dios, un buen esposo, una buena esposa, un buen padre, una buena madre o un buen hijo, eso es lo que busca matar este espíritu asignado llamado destructor.

También viene en los momentos cuando un creyente va a ser promocionado a un mejor nivel de vida espiritual, porque todos los creyentes, en este caminar vamos siendo promocionados por Dios, quien nos va colocando en mejores posiciones, en mejores niveles, los cuales contienen capacidades, habilidades, ungimientos para aquella persona que va a iniciarse en una nueva etapa de su vida, espiritualmente hablando, y él viene a matar ese momento, viene a impedir que aquella persona alcance su promoción.

Destruye también la transición, una transición que tenga como resultado un movimiento de Dios más experimental para aquél individuo o creyente, y que ese movimiento de Dios lo haga ser como el viento. La Biblia dice que todos oímos el sonido del viento pero nadie sabe de donde viene ni hacia donde va y que así son todos aquellos que son movidos por el Espíritu de Dios, es decir, que esa persona ya no depende de su propio plan sino de los de Dios y ya no es su propia voluntad la que define o decide el hacer una cosa, sino que está sumergido en la voluntad de Dios como un río que lo lleva en el camino que Dios quiere que vaya.

Este tipo de espíritu asignado destruye todo esto, no busca destruir a la persona sino la relación que Dios ha predestinado y establecido, porque la misma va a servirle a usted para catapultarle a un mejor nivel de vida espiritual o en su destino. Mateo 12:29 dice: "Puede alguien entrar a la casa de un hombre fuerte y saquear sus bienes". Este enfoque que hace Mateo es similar al que leímos de Lucas, pero este último destaca que el hombre fuerte está armado, que posee armaduras en las cuales se apoya y le da la fuerza en contra de nosotros y Mateo dice que este hombre fuerte tiene bienes.

Vea los dos ángulos de estos evangelios, uno dice que tiene armadura y armas, la cuales son las estrategias que utiliza y que desarrolla en contra de nosotros con la intención de vencer o destruir. Cuando menciona los bienes, se refiere al botín que él ha tomado, cosas que eran nuestras antes, valores espirituales, principios espirituales, las cosas buenas que teníamos en casa, todas aquellas virtudes y cosas maravillosas que el evangelio había hecho, los toma y los hace suyos, pero el deber nuestro es quitárselos porque en ambos ángulos (Lucas y Mateo), hablan de alguien que reflexiona, recapacita y viene en contra de es potestad.

Usted y yo no podemos quedarnos con las manos vacías o con los brazos cruzados, ni darnos por vencidos sino que debemos de recuperar lo que es nuestro. Veamos que nos dice Lucas en las versiones "Pacto renovado" y "Código real", las cuales tienen el concepto hebreo:

Pacto Renovado

Lucas 11:21 Cuando un hombre fuerte que está totalmente equipado para la batalla, custodia su propia casa, sus posesiones están seguras, 22 Pero si alguien más fuerte ataca y lo derrota, se lleva el armamento en el cual el hombre dependía, y divide el botín.

Al decir "su propia casa", puede estar hablando de la nuestra, de la que este espíritu se apoderó. Pero tenemos que entender a que armamento se refiere, de que se hace valer, cual es lo fuerte de él y saber que tenemos que quitárselo, y en esto me refiero a que no tenemos que darle lugar de que con cosas nuestras se arme él, no dar lugar a que cosas que están debilitadas en nosotros las tome y las utilice en contra de nosotros mismos.

El Código Real

Lucas 11:21 Cuando el hombre, fuertemente armado defiende el patio de su casa, segura estará su propiedad. 22 Pero si llega uno más fuerte que él y lo vence, le quita todas las armas en que se apoyaba y reparte su despojos.

Al leer estas citas Dios ponía en mi corazón, por medio de su revelación, que ésta potestad intenta que nadie lo detecte, es decir, que puede utilizar varias formas para infiltrarse a nuestra vida, para acercarse y causar daño. Por eso he titulado este capítulo como "**Las puertas de acceso del espíritu destructor asignado**", y tenemos que descubrir cuáles son las puertas que utiliza para infiltrarse sin ser detectado y obtener victoria sobre nosotros.

Quiero concentrarme en una puerta que es la menos detectable, aunque existen otras que podrían ser consideradas formas comunes en las que el enemigo se infiltra, sin embargo, no todos los creyentes respetan eso. Dios quiere que usted, al leer el consejo de Él y recibir la Palabra, la aplique y la ponga en práctica para que no sea solamente un oidor sino un hacedor de la Palabra. La primera vez que en la Biblia aparece literalmente la palabra "destructor" es en la experiencia cuando Dios saca a Israel de Egipto, donde dio estrictas recomendaciones para que se cumplieran y evitar así que ese destructor pudiera infiltrarse en la casa de la gente que era del pueblo de Dios.

Éxodo 12:23 Pues el Señor pasará para herir a los egipcios, y cuando vea la sangre en el dintel y en los dos postes de la puerta, el Señor pasará de largo aquella puerta y no permitirá que el ángel destructor entre en vuestras casas para herirlos.

O sea que se les dijo que esa noche el Señor mataría a todos los primogénitos pero que ellos, los hebreos, estuvieran dentro de sus casas, pero antes de refugiarse en ellas tenían que matar un cordero, sacrificarlo, después asarlo, comérselo y que con la sangre del cordero sacrificado pintaran las puertas de sus casas, el dintel y los postes. Les dijeron que los marcaran, que pusieran una señal, prototipo de la sangre de Cristo.

Cierren con la sangre de Cristo las puertas de acceso al destructor, de manera que cuando este pase por la ciudad no se detenga en su casa porque es más poderosa la sangre de Cristo y a esa respeta y le teme. Dios nos manda a que entendamos cuales son las recomendaciones que Él tiene y que debemos aplicar para que el destructor no tenga éxito sobre nuestra vida.

Veo el patrón del Antiguo Testamento para aquella época que nos sirve a nosotros como un ejemplo para que veamos que no hay nada nuevo debajo del sol y, así como un destructor se movió en aquella noche cuando el pueblo de Dios iba a salir de la esclavitud de Egipto, así en estos días el destructor se está moviendo por causa de que el pueblo del Señor va a salir de esta tierra en un evento maravilloso que se llama el arrebatamiento de la Iglesia, el cual está muy próximo a darse.

Aunque muchos predican que no existe el arrebatamiento, yo declaro en el Nombre de Jesús que soy uno de los pregoneros, que sí creo en ese momento glorioso para la Iglesia del Señor Jesucristo. Por causa de eso hay un mover de un destructor, de un espíritu asignado que aparece siempre en los momentos cuando un mover de Dios está por darse a favor de un individuo o del pueblo de Dios, surge en un momento significativo de nuestra vida con la intención de "DESTRUIR" es decir MATAR todo el potencial de una persona, todo el buen deseo, todo el futuro, toda promoción, toda transición a un nuevo nivel o mover de Dios y toda relación que tiene que ver con catapultarte en tu destino.

Sin Ser Detectado:

Es por eso que veremos algunas de las formas que el espíritu destructor asignado utiliza para infiltrarse sin ser detectado. Hay una particularmente que me llama mucho la atención, por que poco o casi nada se menciona de eso pero antes veremos un ejemplo de la forma más común para abrir la puerta al destructor.

La forma más común y poco respetada por los creyentes:

Una de las formas más comunes que abren la puerta al destructor es la que está mencionada en 1ª. Corintios 10:10 Ni murmuréis, como algunos de ellos murmuraron y perecieron por el destructor.

La puerta que el destructor busca es la murmuración, una de la más fuertes pues esta divide hogares, relaciones, iglesias, organizaciones. Eso significa que el destructor busca murmuradores y la murmuración es una sabiduría diabólica, según lo que dice el siguiente texto:

> Santiago 3:13-16: ¿Quién es sabio y entendido entre vosotros? Que muestre por su buena conducta sus obras en sabia mansedumbre. 14 Pero si tenéis celos amargos y ambición personal en vuestro corazón, no seáis arrogantes y así mintáis contra la verdad. 15 Esta sabiduría no es la que viene de lo alto, sino que es terrenal, natural, diabólica. 16 Porque donde hay celos y ambición personal, allí hay confusión y toda cosa mala.

Cualquiera que abre puertas al destructor murmurando, se lleva con él al destructor y provocará división donde sea, porque el destructor vendrá a él a buscarlo.

La murmuración es el arma fuerte de esta potestad, donde haya un murmurador ahí está el destructor, porque esa es la puerta que él utiliza para poder infiltrarse.

Por eso la murmuración es algo que nosotros debemos de rechazar, de combatir. Es importante cerrar puertas a toda murmuración, recordemos, según 1ª. Corintios10:10 que los israelitas cayeron en el desierto por el destructor.

> ¿Cómo se le cierra la puerta al destructor?, dejando de murmurar, no participando en murmuraciones.

Las iglesias en estos tiempos finales sufren fuertemente divisiones y éstas comenzaron por medio de una o más personas que, usando la murmuración, llevaron a muchos a dividir sus corazones y siguiendo al que murmura, sin pensar que tarde o temprano sufrirán lo mismo porque todo lo que el hombre siembra cosechará y el virus del destructor lo llevan consigo y el destructor volverá a ellos. Renunciemos a ésta área y las puertas al destructor se cerrarán.

La Infiltración del Espíritu Destructor Menos Detectada

La segunda forma que utiliza el espíritu destructor para infiltrarse en una familia o una vida es la menos detectable porque pocos se han percatado de ello. Los espíritus pueden venir en varias formas para infiltrarse en la vida de las personas pero una de las más efectivas es el deseo, en una familia o en una persona, porque nadie ha tocado ese asunto.

¿Qué deseo tiene usted en este momento?. Necesitamos comprender que es un deseo y por qué el enemigo, esta potestad llamada "hombre fuerte", igual a destructor o espíritu asignado a una ciudad, a un individuo, a una familia o a una casa, pero tiene una naturaleza, llega para destruir. Cuando una persona tiene un deseo por cosas malas, negativas, inmundas o impuras el deseo no se origina en sí en él sino que tiene su origen en una fuerza demoníaca. Efesios 4:22 dice: "En cuanto a vuestra anterior manera de vivir, os despojeis del viejo hombre que se corrompe según los deseos engañosos".

Los deseos juegan un papel muy importante en la infiltración de ese espíritu, porque el lugar de los deseos es lo que un espíritu asignado utiliza, es decir, no utiliza la cabeza de una persona sino los deseos que están en otra parte de su cuerpo.

"Porque tu formaste mis entrañas, me entretejistes en el vientre de mi madre". La palabra entrañas es mencionada también como riñones, partes interiores, lo que significa también el pensamiento, el corazón y el asiento de las emociones y los deseos. Jesús dijo: "El que cree en mí, como ha dicho la escritura, de lo más profundo de su ser brotarán ríos de agua viva, y esto dijo acerca del espíritu".

Quiere decir que la parte interior, los riñones, el vientre, lo más profundo, es un lugar que puede ser tocado por el espíritu de Dios o trastocado por un espíritu destructor.

Ese es el paralelismo, Él llega a lo profundo y si el enemigo logra tener acceso interior a nuestros deseos logra trastocarlos. La gente que está atada en pornografía, los adictos a las drogas, los que están en amargura, los que tienen muchos problemas, son víctimas de los deseos interiores. No es una decisión de la cabeza sino un deseo que hay por dentro. El problema aquí es quién sostiene las riendas que controlan los deseos interiores de una persona.

EL DESEO

¿Qué es el Deseo?

Un deseo es como el hambre que cada persona siente por algo, un deseo es como un objetivo interior para una conquista externa o una derrota. Es la búsqueda o la intención de adquirir algo sin importar el precio que hay que pagar. Nadie nos ha enseñado alguna vez cómo desear, no hay escuelas para ello, sencillamente nacimos deseando. Un recién nacido desea leche, un pequeño desea un juguete, una mujer desea afecto, una anciana desea ser protegida o asistida, un hombre desea mujer, un anciano desea un legado, todos deseamos.

Lo impresionante es que nadie nos ha enseñado como hay que desear. Sencillamente lo hemos venido practicando, es una práctica que comenzó alguna vez y lo hemos venido fortaleciendo pero los deseos han venido cambiando, dependiendo el lugar donde nos encontramos, dependiendo lo que oímos, lo que miramos, lo que alimentamos a nuestro organismo, dependiendo la edad, el sexo. El deseo es algo complicado, veamos lo que es considerado la psicología del deseo.

La Anatomía del Deseo

1) El deseo es la fuente de la más noble inspiración.
2) También el deseo es la fuente de los dolores más profundos. (Alguien por un buen deseo puede tener una inspiración, pero alguien por un mal deseo puede tener profundos dolores en su corazón). El dolor y el placer vienen de la misma región. (corazón = deseos)
3) Solo existen dos cosas que estremecen al corazón que desea, una es la belleza y la otra es la aflicción.
4) Hay momentos que el deseo dura mucho tiempo.
5) También hay momentos donde quisiéramos no haber deseado algo.
6) Las acciones que tomamos es la reflexión de lo que deseamos con placer. Escogemos y seleccionamos basados en lo que el corazón desea.

7) Escogemos con la cabeza lo que deseamos en el corazón.

La Puerta del Deseo

Una de las formas que utiliza un espíritu que fue asignado para infiltrarse es trabajar por medio de "Los DESEOS"

LBA **Marcos 4:19** pero las preocupaciones del mundo, y el engaño de las riquezas, y los deseos de las demás cosas entran y ahogan la palabra, y se vuelve estéril.

Mucha gente no logra entender cómo es que se puede dar una RELACIÓN de un deseo con un poder demoniaco.

(9) BNC Génesis 6:5 Viendo Yahvé cuánto había crecido la maldad del hombre sobre la tierra y cómo todos sus pensamientos y deseos de su corazón sólo y siempre tendían al mal,

Cuando una persona tiene un DESEO por cosas malas o negativas, o deseo inmundo ese deseo no se origina por sí mismo sino que tiene su origen en una fuerza espiritual invisible que le ha sido asignada. ¿Cómo es que algunas personas tienen deseos de consumir substancias que destruyen su cuerpo y hasta la vida? ¿Substancias como drogas o alcohol? La respuesta es que vino un deseo inmundo que tiene su fuerza en una potestad de las tinieblas. Voy a decir algo muy importante, un consejero secular puede enseñarle disciplina personal de manera que puede que usted no quiera hacer algo, pero mucha gente aun así continúa teniendo deseos en su interior.

El Lugar de los Deseos

La biblia nos habla de una parte profunda en nuestro ser, "Los riñones" igualmente al vientre lo cual se refiere al lugar donde están los deseos y el control de ellos.

Jesús dijo de esto...LBA Juan 7:38 El que cree en mí, como ha dicho la Escritura: "De lo más profundo de su ser brotarán ríos de agua viva."

Él se refería al hombre interior que todos tenemos

por dentro, interior, seno, vientre. David en el Salmo 139: 13 utiliza otra palabra que tiene que ver con esa parte interior. Salmo 139:13 Porque tú formaste mis entrañas; me entretejiste en el vientre de mi madre.

BJ2 **Salmo 139:13** Porque tú mis riñones has formado, me has tejido en el vientre de mi madre;

La versión "American Standard" dice: Las partes interiores. Entrañas #3639 /KILYAH/ (KILIA) significa: Riñón, el ser interior, pensamiento, el corazón y el asiento de las emociones y deseos. El espíritu asignado a un individuo no utilizará la cabeza de una persona para llevarlo a hacer algo negativo sino los deseos que están en otra parte del cuerpo.

¿Quién Está Tocando Sus Deseos?

Hay un lugar en nuestro interior que puede ser tocado por el Espíritu de Dios o puede ser trastocado por huestes espirituales. El espíritu DESTRUCTOR asignado buscar llegar también a eso profundo donde están los DESEOS. Si el enemigo logra obtener control en la parte interior y/o asiento de los deseos (riñones), logrará trastocar los mismos y controlará la vida de la persona.

Salmo 52:7 He aquí el hombre que no quiso hacer de Dios su refugio, sino que confió en la abundancia de sus **riquezas y se hizo fuerte en sus malos deseos.**

La sensación de esa influencia solo se puede explicar como un PESO o carga sobre sus cabezas donde incluso, ellos no quieren hacerlo pero algo dentro, en la parte de los deseos empieza a obligarlos por la FUERZA para que realicen lo que desean.

Es importante que tengamos cuidado con los deseos inmundos porque es posible que en un 99% se realicen en la vida de la persona. El problema es ¿Quién sostiene las riendas interiores, las riendas que controlan los deseos en el interior?. Es posible que en su cabeza la gente sabe que esas acciones son malas pero algo en su interior lo comienza a convencer y obligar hasta que realiza lo que deseó.

Resumiendo: La gente nunca más debe de ignorar que el reino de las tinieblas puede asignar un espíritu a que controle los deseos de una persona.

Los Cristianos Pueden Caer en Malos Deseos

Es posible que exista gente con muchos años de ser cristiano pero el hecho de ser salvo no significa que no pueda tener DESEOS negativos o malos, es decir, malos deseos que llevan a hacer cosas malas o cosas incorrectas, o los lleva a ver y oír cosas malas. Pablo decía de esto... Romanos 7:19-20 [19] Pues no hago el bien que deseo, sino que el mal que no quiero, eso practico. [20] Y si lo que no quiero hacer, eso hago, ya no soy yo el que lo hace, sino el pecado que habita en mí.

Con su cabeza saben que esos deseos no le convienen pero en su interior no saben hasta donde podrán negarse al deseo que tienen si se presenta la oportunidad. Esto da lugar a "Conflictos del deseo" interiormente, la persona tiene que batallar como con un hambre que siente por algo. Conflictos del deseo es específicamente un deseo particular que interfiere con otro deseo y causa problema, es decir, batallamos con un conflicto de deseos por tener problemas con el deseo. En algunos casos es por drogas, vicios, placer sexual ilícito, andar por la calle sin ser gobernado, deseo por alguna persona o cosa que no le conviene. Ahí hay una infiltración de un espíritu asignado que viene hacer la fuente del deseo.

Los Patrones del Deseo

Es imposible dejar de desear porque para ello tendríamos que estar en un estado vegetativo, pero es nuestro deber examinar los patrones de los deseos. La enfermedad y la vejez igualmente no disminuyen el deseo, ellos apenas cambian lo que nosotros deseamos.

Cuando Comienza el Problema:

El problema de los patrones del deseo se deja ver cuando los deseos del creyente están relacionados con su pasado. Si deseamos en el presente lo que deseamos cuando teníamos 10 ó 15 años de edad, nuestros deseos son disfuncionales.

Si el deseo que existe hoy en nuestro interior es el mismo que deseábamos antes de ser salvos, no es el APROPIADO porque el enemigo puede tomar ventaja sobre nosotros influenciado nuestro deseo al cumplimiento del mismo.

Si nuestros deseos son los mismos que cuando éramos inconversos estamos abriendo una enorme puerta al "espíritu asignado llamado destructor". Los patrones del deseo significan que los deseos son repetidos, es decir, son los mismos negativos de antes y después de Cristo, esto es sinónimo que la persona está bajo la influencia del espíritu destructor asignado.

LBA **Efesios 4:22** Que en cuanto a vuestra anterior manera de vivir, os despojéis del viejo hombre, que se corrompe según los deseos engañosos,

1ª. Pedro 4:3 Porque ya es suficiente el haber hecho en el tiempo pasado los deseos de los gentiles, habiendo andado en sensualidad, en bajas pasiones, en borracheras, en orgías, en banqueteos y en abominables idolatrías.

La intención de todo deseo malo, resulta en atraer hacia si a los conflictos de los deseos y a las crisis de los deseos. Un deseo influenciado por un espíritu destructor puede causar a que a la persona le cambie el curso de la vida.

El Cambio de Nuestros Deseos

En el nuevo nacimiento Dios operó un cambio de los deseos para sacar al enemigo de su influencia, pero muchos vuelven a caer en ello por la ignorancia sobre estas cosas.

1ª. Pedro 2:2 desead como niños recién nacidos la leche espiritual no adulterada, para que por ella crezcáis para salvación;

Se puede volver a caer en malos deseos por mirar cosas malas que pueden crear malos deseos y por oír también lo negativo. Busque cada uno el ser libre de cualquier cosa que sea el producto de un DESEO inmundo, impuro, incorrecto o negativo para que no venga el DESTRUCTOR a tener victoria sobre su vida. Para ser libre de esta infiltración necesitamos cambiar nuestros deseos y así se le cierra la puerta al espíritu asignado y destructor

Los Cambios de Deseos

1. Desee ser un buen esposo(a).
2. Desee ser un buen hijo(a).
3. Desee ser un buen cristiano.

El Poder del Cambio del Deseo

- Cuando cambia sus deseos, cambiará lo que escoge.
- Cuando cambia lo que escoge es que ha cambiado su nivel de madurez.
- Cuando ha cambiado el nivel de madurez es porque ha cambiado su mente.

Salmo 84:2 Anhelaba mi alma, **y aun deseaba con ansias** los atrios del SEÑOR; mi corazón y mi carne cantan con gozo al Dios vivo.

Salmo 73:25 ¿A quién tengo yo en los cielos, sino a ti? Y fuera de ti, **nada deseo en la tierra**.

VMP **Salmo 27:4** Una sola cosa he **pedido** a Jehová, y ésta buscaré; que more yo en la Casa de Jehová todos los días de mi vida, para mirar la hermosura de Jehová, y para inquirir en su Templo.

Hay personas que con su cabeza no quieren hacer cosas y saben que si lo hacen es malo pero no tienen la fuerza interior para negarse porque el destructor ha venido a romper con el dominio. Mire su problema con realidad, no es asunto de religión, tiene que cambiar su nivel de madurez porque entonces cambiará su mente y cuando logre eso habrá recuperado el poder. Usted tiene que tomar la batuta y ponerse en la brecha a favor de su vida, de sus descendientes y decir: "hasta aquí, he decidido renunciar con el asignamiento del espíritu destructor".
¡Esos ciclos tienen que romperse en su vida!

ORACIÓN

Padre, en el nombre poderoso de Jesús te pido que las necesidades de cada uno de los lectores de este libro puedan tener una respuesta sobrenatural de parte tuya, para que cambie la vida de ellos. Que puedan echar raíces, extenderse, crecer y dar frutos, que puedan sembrar y también cosechar y ser beneficiados de los frutos de tu Espíritu. Amén.

Apóstol Dr. Mario H. Rivera

PARTE II
LA PSICOLOGÍA
SATÁNICA
CONTRA LA
MENTE DEL
CREYENTE

Capítulo 4

La Máxima Tentación de la Mente

Mencioné en la introducción que, alrededor del mundo, seis billones de personas sufren de un mismo problema desde hace aproximadamente seis mil años, el cual es la pérdida del pensamiento de Dios, es decir, no tener la mentalidad de arriba.

LBA Mateo 4:3 Y acercándose el tentador, le dijo: Si eres Hijo de Dios, di que estas piedras se conviertan en pan.

LBA Mateo 4:6 y le dijo: Si eres Hijo de Dios, lánzate abajo, pues escrito está: "A SUS ÁNGELES TE ENCOMENDARÁ", y: "EN LAS MANOS TE LLEVARÁN, NO SEA QUE TU PIE TROPIECE EN PIEDRA."

LBA Mateo 27:40 y diciendo: Tú que destruyes el templo y en tres días lo reedificas, sálvate a ti mismo, si eres el Hijo de Dios, y desciende de la cruz.

Nacimos con ese problema y se ha sufrido mucho tratando de ser libre de él. Quizá alguien pueda decir que, si nunca lo hemos tenido no podemos perderlo, o buscar ser libres, pero cuando Adán perdió la conexión con Dios perdió la mente de Él y la humanidad estaba en sus lomos.

LBA Romanos 5:12 Por tanto, tal como el pecado entró en el mundo por un hombre, y la muerte por el pecado, así también la muerte se extendió a todos los hombres, porque todos pecaron;

¿Por Qué Se Necesita Más Tiempo en Cambiar la Mente?

Dios te revive el espíritu en segundos al recibir a Cristo en tu corazón, pero tarda más tiempo en cambiar tu mente porque eso depende de tí y de mí. Al cambiar nuestra mente, cambiarán también nuestras emociones. Es más difícil cambiarlo porque todos hemos estado atrapados en un pasado.

> Todos hemos sido esclavos de la intimidación, de la opresión y del pecado, lo cual es parte de nuestro pasado.

Eclesiastés 10:5-7: [5] Hay un mal que he visto debajo del sol, a manera de error emanado del príncipe: [6] la necedad está colocada en grandes alturas, y los ricos están sentados en lugar bajo. [7] Vi siervos a caballo, y príncipes que andaban como siervos sobre la tierra.

Esta declaración nos deja ver que, no importa cómo te vistas y que lugar ocupas, si no estás RENOVADO en tu mente eres ESCLAVO de tu propio sistema mental. Los títulos no cambian la mente, las coronas no cambian la mente, los vestuarios no cambian la mente.

> El trabajo de la iglesia y de los ministerios del espíritu, es convertir la cabeza en lo que está en tu espíritu.

El Enemigo del Hombre:

El enemigo de todo hombre es LA IDEA EQUIVOCADA que tiene de sí mismo, la ignorancia de esto, es la raíz de todos nuestros problemas. No saber quiénes somos es el **FUNDAMENTO de la máxima tentación de todo hombre y mujer sobre la faz de la tierra.**

La Máxima Tentación del Hijo de Dios

El gran ataque que hizo Satanás al hombre no fue que tomara lo que le gustaba más. La máxima tentación en tu vida no es que tomes lo que más te gusta o lo que te da más placer. La máxima tentación del hijo de Dios no tiene que ver con placer, la máxima tentación en todo hombre es DUDAR de sí mismo.

Veamos el primer ataque de Satanás a la humanidad, esta fue la primer y máxima tentación para Adán quien era cabeza federal.

LBA **Génesis 3:1-5** Y la serpiente era más astuta que cualquiera de los animales del campo que el SEÑOR Dios había hecho. Y dijo a la mujer: ¿Conque Dios os ha dicho: "No comeréis de ningún árbol del huerto"? [2] Y la mujer respondió a la serpiente: Del fruto de los árboles del huerto podemos comer; [3] pero del fruto del árbol que está en medio del huerto, ha dicho Dios: "No comeréis de él, ni lo tocaréis, para que no muráis." [4] Y la serpiente dijo a la mujer: Ciertamente no moriréis. [5] Pues Dios sabe que el día que de él comáis, serán abiertos vuestros ojos y seréis como Dios, conociendo el bien y el mal.

Eva y Adán no tomaron la fruta porque tenían hambre y era de buen sabor. La tentación fue hacerlos DUDAR de quienes eran, por eso les dice: SERÉIS COMO DIOS

La Duda Te Lleva a Olvidar

Cuando la duda toma lugar en la mente, te lleva a olvidar quien eres, te hace olvidar las promesas, te hace menguar. Adán y Eva olvidaron quienes eran y cual era su diseño original.

Génesis 1:26-28 Y dijo Dios: Hagamos al hombre a nuestra imagen, conforme a nuestra semejanza; y ejerza dominio sobre los peces del mar, sobre las aves del cielo, sobre los ganados, sobre toda la tierra, y sobre todo reptil que se arrastra sobre la tierra. [27] Creó, pues, Dios al hombre a imagen suya, a imagen de Dios lo creó; varón y hembra los creó. [28] Y los bendijo Dios y les dijo: Sed fecundos y multiplicaos, y llenad la tierra y sojuzgadla; ejerced dominio sobre los peces del mar, sobre las aves del cielo y sobre todo ser viviente que se mueve sobre la tierra.

> El hombre era igual que Dios, no necesitamos dar pruebas para comprobarlo, la Palabra de Dios así lo dice.

Para darme a entender usaré la siguiente explicación, con todo el respeto que se merece mi Creador:

- Dios es como una vasija con agua.
- El agua es su Espíritu.
- El vaso es el hombre que Dios creó.

Dios puso de lo que Él es en el hombre. Lo que había en Dios era en el hombre. La tentación al hombre vino a hacer que pensara, (mente), que podía ser lo que ya era. La tentación fue decirle al hombre que NO ERA lo que ya era.

> Si Eva hubiera mantenido en su MENTE lo que Dios había dicho que era, no hubiera tomado del fruto del árbol prohibido.

Esto es lo crítico, porque todo hombre y mujer cometen PECADO, porque no saben quiénes son.

La humanidad cae en REBELIÓN porque no permanece en lo que Dios ha dicho que somos.

Salmo 14:2-4 El SEÑOR ha mirado desde los cielos sobre los hijos de los hombres para ver si hay alguno que entienda, alguno que busque a Dios. [3] Todos se han desviado, a una se han corrompido; no hay quien haga el bien, no hay ni siquiera uno. [4] ¿No tienen conocimiento todos los que hacen iniquidad, que devoran a mi pueblo como si comieran pan, y no invocan al SEÑOR?

La Llave de la Libertad

La verdad de **quién** soy, es la llave personal de mi libertad, de manera que la gran arma de Satanás es mantenernos IGNORANTES de quienes somos verdaderamente. Al estudiar los cuatro Evangelios encontramos que Cristo se concentró en CONVENCERTE acerca de **quién** eres, y probarte de cuanto Dios te ama, de tal forma, que paga por tu vida con un precio muy alto dar la vida de su Hijo por ti.

Juan 3:16-17 Porque de tal manera amó Dios al

mundo, que dio a su Hijo Unigénito, para que todo aquel que cree en Él, no se pierda, mas tenga vida eterna. [17] Porque Dios no envió a su Hijo al mundo para juzgar al mundo, sino para que el mundo sea salvo por Él.

LA IGNORANCIA DEL HOMBRE

El hombre IGNORA su verdadera identidad, su valor, su estima, su verdadera habilidad, el propósito de su existencia. Esta ignorancia es la fundación de todos sus problemas. Salmo 82:5-6 [5] No saben ni entienden; caminan en tinieblas; son sacudidos todos los cimientos de la tierra. [6] Yo dije: Vosotros sois dioses, y todos sois hijos del Altísimo.

Veamos lo crítico que es permanecer en IGNORANCIA de si mismo:

#1 - La ignorancia de sí mismo es:

Como el corazón de los dilemas del hombre. Un dilema es la obligación de seleccionar entre dos opciones distintas. Es un argumento formado por dos proposiciones contrarias.

#2 - La ignorancia de si mismo resulta en:

La fundación de la máxima tentación. Esa máxima tentación es el resultado de la decepción de si mismo que da lugar al pecado que origina y/o pecado original.

#3 - Los pecados originales o que originan más pecados son:

El pecado original es uno que origina otros pecados, es invisible Los pecados visibles son el resultado de un pecado original. El pecado original es el resultado de la duda de si mismo.

#4 - La falla del primer hombre no fue:

No fue basado en cometer adulterio, en robar, en mentir, en cometer fornicación, en matar, en pornografía etc. Tampoco fue basado en falso testimonio, en murmuración y difamación. La máxima tentación fue presentada por Satanás al primer hombre al llevarlo a DUDAR de si mismo. DUDAR de tí mismo es la FUNDACIÓN a todos los problemas del hombre y fundación del pecado. Por eso mismo, la base del rompimiento

de los efectos de FALLAS es saber de ti mismo, lo cual viene a ser la BASE de tu LIBERTAD.

#5 - La estrategia y arma de Satanás:

El arma de Satanás contra ti, es mantenerte en ignorancia de ti mismo. Si descubres acerca de ti, serás libre de la mentira de Satanás y casi nada te será imposible hacer.

> **Satanás ha mantenido a la humanidad bajo ataduras con la MENTIRA acerca de quienes son.**

#6 - La ignorancia del hombre:

La ignorancia de la verdadera identidad hace que el hombre se valore diferente a la verdad de Dios. Con un falso valor de sí mismo es incapaz de hacer lo que está supuesto de hacer. La ignorancia de la verdadera identidad es el corazón de todos sus problemas.

LA BATALLA DEL CREYENTE POR LA LIBERTAD

Satanás ha causado un defecto psicológico en la

mente, es decir, en la forma de pensar de la humanidad, comenzando acerca del pensamiento que tienen de cada uno. Cuando Adán obedeció a Satanás, todos los que estaban atrapados en Adán vinieron a ser esclavos también. ¡Tú vienes a ser esclavo de todo lo que obedeces! RVA Romanos 6:16 ¿No sabéis que cuando os ofrecéis a alguien para obedecerle como esclavos, sois esclavos del que obedecéis; ya sea del pecado para muerte o de la obediencia para justicia? Esto no es lo mismo que ser influenciado, porque alguien te puede influenciar y no manejar tu vida, pero cuando eres esclavo de alguien, él es dueño aun de tu mente.

Los Efectos de la Esclavitud en la Mente

El hombre, asignado a dominar, vino a ser dominado, asignado a dirigir el mundo, vino ha ser dirigido por su mente en esclavitud, asignado a gobernar vino a ser oprimido, asignado a la victoria vino a ser víctima. El hombre vino a ser como un animal sin razonamiento

La Arquitectura Original del Hombre

El hombre es un espíritu:	Para vivir conectado con Dios
Y posee un alma:	El alma con un vehículo que intercala dos Lugares
Que vive en un cuerpo:	Es para manifestar los deseos en el mundo visible.

El Orden de Operación

El Espíritu de Dios comunica al espíritu humano. El espíritu humano comunica al alma. El alma comunica al cuerpo. El cuerpo está supuesto a manifestar los deseos del espíritu. El hombre está supuesto a vivir de adentro para afuera.

La Comunicación Original de Dios al Hombre

El Espíritu Santo vive en tu espíritu y le comunica la voluntad de Dios. La voluntad de Dios, a través del Espíritu Santo en tu espíritu, es comunicada a tu alma por medio de tu espíritu.

Tu alma está supuesta a instruir al cuerpo, el cuerpo está supuesto a hacer lo que debe hacer al mantenerse en ese orden de comunicación con Dios.

La Ruta de la Recuperación de la Mente

Cuando la voluntad del hombre es convertida, toda tu vida es convertida. De manera que la enseñanza juega un papel importante en el proceso de RESTAURAR el alma.

LBA **Salmo 19:7** La ley del SEÑOR es perfecta, que restaura el alma; el testimonio del SEÑOR es seguro, que hace sabio al sencillo.

R60 **Salmo 19:7** La ley de Jehová es perfecta, que convierte el alma; El testimonio de Jehová es fiel, que hace sabio al sencillo.

Algunas versiones utilizan, revive, refresca, convierte, restaura. Significado: La palabra Hebrea que allí se utiliza es #7725 /SHUWB/

Volverse, principio, restaurar, retroceder (es decir ir a lo original), venir, girar, convertir, devolver, para volver, causar que retorne, traer de regreso la mente. Basando en estos significados puedo decir que el alma debe de volver a la mentalidad original y eso es por medio de la enseñanza.

LA RUTA DE LA RESTAURACIÓN

Cuando la voluntad del hombre es convertida, toda su vida es convertida. Cuando tu mente es cambiada, todo tu comportamiento o conducta es cambiada. Cuando todas tus emociones son cambiadas y ya no te manejan, todo tu cuerpo estará bajo tu dominio.

R60 **Salmo 19:7** La ley de Jehová es perfecta, que convierte el alma; El testimonio de Jehová es fiel, que hace sabio al sencillo.

El Defecto de la Mente

El ataque psicológico de Satanás está basado en activar un conocimiento por otra vía. El defecto de la mente se explica en el siguiente verso: Génesis 3:5-7: [5] Pues Dios sabe que el día que de él comáis, serán abiertos vuestros ojos y seréis como Dios, conociendo el bien y el mal. [6] Cuando la mujer vio que el árbol era bueno para comer, y que era agradable a los ojos, y que el árbol era deseable para alcanzar sabiduría, tomó de su fruto y comió; y dio también a su marido que estaba con ella, y él comió. [7] Entonces fueron abiertos los ojos de ambos, y conocieron que estaban desnudos; y cosieron hojas de higuera y se hicieron delantales.

El Nacimiento de la Instrucción Ajena a Dios

La palabra CONOCIERON es la base de la explicación de una nueva instrucción que había entrado en escena. El hombre comenzó a vivir por lo que absorbía por medio de sus sentidos. Empezó a vivir de afuera para dentro y eso sigue siendo como una maldición para él.

Si ellos vinieron a CONOCER algo, ¿qué era lo que ya sabían?, Que eran hijos de Dios, encargados del mundo, que debían de ejercer dominio. Pero la palabra "vinieron a CONOCER", es referente a SENSUALIDAD. Los cinco sentidos vinieron a ser la avenida de la información. Antes de eso el hombre no vivía por lo sentidos (sensual) sino por discernimiento.

El Espíritu Discierne

Los sentidos recogen información por medio de la percepción sensual La palabra sensual significa: "De los sentidos o de las sensaciones que suscitan. Se dice de los gustos y placeres de los sentidos". Dios nunca diseño al hombre para que recogiera información de la vida por medio de los sentidos. Fuimos diseñados por Dios para obtener información de la vida por medio de su Espíritu a nuestro espíritu. El hombre, al perder la conexión con su fuente, ahora busca la información usando sus sentidos.

El Hombre y Sus Sentidos

Se vio a sí mismo y se vio desnudo, Se sintió así mismo y se sintió desnudo. Se toco así mismo y se palpo desnudo. Por eso el hombre ha vivido sin saber quien es porque sus sentidos le dicen algo diferente a lo que el Espíritu de Dios comunica al hombre.

Al escribir a los Hebreos declara algo muy interesante con relación a la RESTAURACIÓN de la mente del hombre: Solo el Espíritu Santo puede ayudarnos porque el tiene los pensamientos de Dios para nosotros. El trabajo de la iglesia es destruir esa lista de cosas en la mente del creyente, eso es posible con la ayuda del Espíritu Santo y los cinco ministerios usando el poder de la palabra.

Capítulo 5

La Contradicción de las Dos Escuelas del Hombre

La estrategia del enemigo, para hacer dudar al hombre y la mujer de Dios de su verdadera INDENTIDAD, de manera que viva con una IDEA EQUIVOCADA, es la PSICOLOGÍA de Satanás, la cual está basada en activar un conocimiento por otra vía, lo que se explica en el verso siguiente:

LBA **Mateo 4:3** Y acercándose el tentador, le dijo: Si eres Hijo de Dios, di que estas piedras se convierta
en pan.

LBA **Mateo 4:6** y le dijo: Si eres Hijo de Dios, lánzate abajo, pues escrito esta: "A SUS ANGELESTE ECOMENDARA", y: "EN LAS MANOS TE LLEVARAN, NO SEA QUE TU PIE TROPIECE EN PIEDRA".

LBA **Mateo 27:40** y diciendo: Tu que destruyes el templo y en tres días lo reedificas, sálvate a ti mismo, si eres Hijo de Dios, y desciende de la cruz.

Génesis 3:5-7 Pues Dios sabe que el día que de el

comáis, serán abiertos vuestros ojos y seréis como Dios, conociendo el bien y el mal. [6] Cuando la mujer vio que el árbol era bueno para comer, y que era agradable a los ojos, y que el árbol era deseable para alcanzar sabiduría, tomo de su fruto y comió: y dio también a su marido que estaba con ella, y el corrió. [7] Entonces fueron abiertos los ojos de ambos y conocieron que estaba desnudos; y cosieron hojas de higuera y se hicieron delantales.

> Todo hombre y mujer que viene a Cristo tendrá que ocuparse por redescubrir la escuela original del espíritu, de lo contrario batallaran con dos corrientes de conocimiento en su vida.

LAS DOS ESCUELAS DEL HOMBRE

Esas escuelas vienen a ser una PARADOJA (Contradicción en el creyente)

La del Espíritu

Tiene la mente de arriba, la voluntad de Dios, lo que a Él le agrada y como Dios opera.

LBA **Juan 6:45** Escrito está en los profetas: "Y TODOS SERÁN ENSEÑADOS POR DIOS." Todo el que ha oído y aprendido del Padre, viene a mí.

Esta escuela fue para equipar al espíritu acerca de la dimensión espiritual. Lo espiritual está ligado íntimamente a los propósitos de tu creación de manera que son la motivación espiritual de vida de acuerdo a la idea original de Dios

La del Alma

Puede contener la mentalidad de la tierra, vino a ser en todos lo seres humanos nacidos desconectados de Dios. Esta contiene la inteligencia terrenal. El conocimiento terrenal te hace profesional y/o humanista. Puede venir de las instituciones educativas, universidades, colegios, padres y más.

LBA **1a. Corintios 2:14** Pero el hombre natural no acepta las cosas del Espíritu de Dios, porque para él son necedad; y no las puede entender, porque se disciernen espiritualmente.

El conocimiento natural hace que formes planes los cuales son la motivación humana, esos planes son razón de supervivencia.

El Espíritu Discierne

Con el discernimiento miras las cosas tal como son. Los sentidos recogen información por medio de la percepción sensual. Con los sentidos miras las cosas tal como tú eres. Dios nunca diseñó al hombre para que recogiera información de la vida por medio de los sentidos:

1a. Corintios 2:4-16 Ni mi mensaje ni mi predicación fueron con palabras persuasivas de sabiduría, sino con demostración del Espíritu y de poder, [5] para que vuestra fe no esté fundada en la sabiduría de los hombres, sino en el poder de Dios. [6] Sin embargo, hablamos sabiduría entre los que han alcanzado madurez; pero una sabiduría, no de esta edad presente, ni de los príncipes de esta edad, que perecen. [7] Más bien, hablamos la sabiduría de Dios en misterio, la sabiduría oculta que Dios predestinó desde antes de los siglos para nuestra gloria. [8] Ninguno de los príncipes de esta edad conoció esta sabiduría; porque si ellos la hubieran conocido, nunca habrían crucificado al Señor de la gloria. [9] Más bien, como está escrito: Cosas que ojo no vio ni oído oyó, que ni han surgido en el corazón del hombre, son las que Dios ha preparado para los que le aman. (SENTIDOS). [10] Pero a nosotros Dios nos las reveló por el Espíritu; porque el Espíritu todo lo escudriña, aun las cosas profundas de Dios. [11] Pues ¿quién de los hombres conoce las cosas profundas del hombre, sino el espíritu del hombre que está en él? Así también, nadie ha conocido las cosas profundas de Dios, sino el Espíritu de Dios. [12] Y nosotros no hemos recibido el espíritu de este mundo, sino el Espíritu que procede de Dios, para que conozcamos las cosas que Dios nos ha dado gratuitamente. (CONOCIMIENTO VERDADERO). [13] De estas cosas estamos hablando, no con las palabras enseñadas por la sabiduría humana, sino con las enseñadas por el Espíritu, interpretando lo espiritual por medios espirituales. [14] Pero el hombre natural no acepta las cosas que son del Espíritu de Dios, porque le son locura; y no las puede comprender, porque se han de discernir espiritualmente. [15] En cambio, el hombre espiritual lo juzga todo, mientras que él no es juzgado por nadie. [16] Porque, ¿quién conoció la mente del Señor? ¿Quién le instruirá? Pero nosotros tenemos la mente de Cristo.

> Fuimos diseñados por Dios para obtener información de la vida por medio de su Espíritu a nuestro espíritu. Al perder el hombre la conexión con su fuente, ahora busca la información usando sus sentidos.

LA ESCLAVITUD MENTAL

Solo el Espíritu Santo puede ayudarnos porque él tiene los pensamientos de Dios para nosotros. RVA Romanos 6:16 ¿No sabéis que cuando os ofrecéis a alguien para obedecerle como esclavos, sois esclavos del que obedecéis; ya sea del pecado para muerte o de la obediencia para justicia?

10 Cosas que Caracterizan a un Esclavo

1) No tiene ningún sentido de derecho sobre su vida otro lo gobierna.

2) No tiene ningún sentido de valor de sí mismo, vive por lo que otros dicen de él.
3) No tiene estima propia.
4) No tiene visión porque su vida ya está establecida por quien lo gobierna.
5) No tiene esperanza, no hay razón de esperanza porque su futuro está en las manos de quien lo gobierna.
6) Odia el trabajo porque lo identifica con el dolor.
7) No tiene respeto de sí mismo, su mentalidad ha sido tomada por quien lo gobierna.
8) Odia a sus prójimos, porque sus prójimos le recuerdan a él mismo.
9) Siempre aflige a otros.
10) Siempre desea morir.

Nuevamente enfatizamos que el trabajo de la iglesia es destruir esa lista de cosas en la mente del creyente, lo cual es posible con la ayuda del Espíritu Santo y de los cinco ministerios usando el poder de la Palabra.

El Conocimiento Defectuoso

Psicología Satánica

Si continuamos viviendo con la IDEA EQUIVOCADA de sí mismos, nunca viviremos con los beneficios del reino de Dios. La idea equivocada es la semilla que Satanás siembra al activar un CONOCIMIENTO diferente. El CONOCIMIENTO natural está VACÍO de los significados eternos, de los propósitos de Dios, de las mentes espirituales, del sistema del reino de Dios.

Comportamiento Modificado:

El conocimiento natural que inició con la caída del primer hombre aún prevalece y te hace caminar con un comportamiento modificado, (Psicología Satánica), te hace sentir y vivir diferente.

Formación Espiritual:

Esta es el conocimiento espiritual, lo cual se da antes de la caída del hombre. Esta es pre-existencial, te hace caminar en el espíritu y vives de la formación espiritual, es la tarea de los cinco ministerios, que son como los sentidos de Dios para el hombre espiritual.

Efesios 4:11-13 Y Él mismo constituyó a unos apóstoles, a otros profetas, a otros evangelistas, y a otros pastores y maestros, [12] a fin de capacitar a los santos para la obra del ministerio, para la edificación del cuerpo de Cristo, [13] hasta que todos alcancemos la unidad de la fe y del conocimiento del Hijo de Dios, hasta ser un hombre de plena madurez, hasta la medida de la estatura de la plenitud de Cristo.

La Formación por Medio de los Cinco Ministerios

El trabajo de los ministerios no es hacerte un buen hombre, sino un hombre espiritual, lo cual no significa volverte místico, religioso, legalista, ni libertino.

> **Espiritual es recuperar la mentalidad de arriba, la intención original de Dios y entender las acciones presentes.**

El espiritual es un ser puro en motivos, es uno

que no altera los motivos originales. Dios no altera sus motivos, en Él no hay sombra de variación.

EL DISEÑO DEL HOMBRE Y DE LA MUJER

Fundación	Fundamentos
Filosofía	Doctrina

Nuestro deber es estudiar la intención original de Dios para entender sus acciones presentes. Dios está en proceso de remover las cosas que están en ti que no son de su reino.

LBA **Hebreos 12:26** Su voz hizo temblar entonces la tierra, pero ahora Él ha prometido, diciendo: AÚN UNA VEZ MÁS, YO HARÉ TEMBLAR NO SÓLO LA TIERRA, SINO TAMBIÉN EL CIELO.

Dios hará eso porque está en contra de las cosas que pueden promover REBELIÓN en ti. Rebelión al Rey y al reino de Dios.

LBA **Hebreos 12:27** Y esta expresión: Aún, una vez

más, indica la remoción de las cosas movibles, como las cosas creadas, a fin de que permanezcan las cosas que son inconmovibles.

Luego Establecerá los Inconmovible

El intento de Dios es restablecer todas las cosas que el CONOCIMIENTO natural te ha pervertido, reconformar lo que no está conforme a su reino.

LBA Hebreos 12:28 Por lo cual, puesto que recibimos un reino que es inconmovible, demostremos gratitud, mediante la cual ofrezcamos a Dios un servicio aceptable con temor y reverencia.

La atracción a nuestra vida depende de quienes somos.

Lo que voy a explicar es crítico, depende de quién creas que eres, eso harás y atraerás a ti.

La Identidad del Reino:

Mateo 6:24-33 "Nadie puede servir a dos señores; porque aborrecerá al uno y amará al otro, o se dedicará al uno y menospreciará al otro. No podéis servir a Dios y a las riquezas. [25] "Por tanto os digo: No os afanéis por vuestra vida, qué habéis de comer o qué habéis de beber; ni por vuestro cuerpo, qué habéis de vestir. ¿No es la vida más que el alimento, y el cuerpo más que el vestido? [26] Mirad las aves del cielo, que no siembran, ni siegan, ni recogen en graneros; y vuestro Padre celestial las alimenta. ¿No sois vosotros de mucho más valor que ellas? [27] ¿Quién de vosotros podrá, por más que se afane, añadir a su estatura un codo? [28] ¿Por qué os afanáis por el vestido? Mirad los lirios del campo, cómo crecen. Ellos no trabajan ni hilan; [29] pero os digo que ni aun Salomón, con toda su gloria, fue vestido como uno de ellos. [30] Si Dios viste así la hierba del campo, que hoy está y mañana es echada en el horno, ¿no hará mucho más por vosotros, hombres de poca fe? [31] "Por tanto, no os afanéis diciendo: '¿Qué comeremos?' o '¿Qué beberemos?' o '¿Con qué nos cubriremos?' [32] Porque los gentiles buscan todas estas cosas, pero vuestro Padre que está en los cielos sabe que tenéis necesidad de todas estas cosas.

Él estableció tus necesidades y las atraes a ti cuando recuperas tu identidad del reino y haces lo que fue establecido que hicieras. Lo añadido son los recursos que te pertenecen, es como una bodega llena de cosas que te pertenecen.

[33] Más bien, buscad primeramente el reino de Dios y su justicia, y todas estas cosas os serán añadidas.

La Identidad Equivocada:

Igualmente funciona el reino de las tinieblas, cuando no vives con una identidad original las tinieblas hacen que atraigas hacia ti todo lo negativo. Esta es la antítesis del reino de los cielos.

La identidad equivocada te hace ocuparte de algo equivocado y atraes lo negativo del reino de las tinieblas.

Capítulo 6

La Estrategia Satánica Contra los Hemisferios del Cerebro

Estoy utilizando en este libro la expresión "La psicología de Satanás" para referirme a lo que está en la mente del enemigo para realizar ataques a la mente del creyente.

RVA **Isaías 26:3** Tú guardarás en completa paz a aquel cuyo pensamiento en ti persevera, porque en ti ha confiado.

Los anteriores capítulos se refirieron a la fundación de la máxima tentación de la mente y de las dos escuelas del hombre (La del espíritu y la del alma), Ahora voy a explicarles donde inicia la tentación, por donde entra al hombre y a la mujer.

La Naturaleza de la Tentación

Toda tentación es traída por Satanás de manera que pertenece al mundo espiritual negativo.

LBA **Mateo 4:3** Y acercándose el tentador, le dijo: Si eres Hijo de Dios, di que estas piedras se conviertan en pan.

Pero además de ser de carácter espiritual

negativo, tiene también una explicación desde el punto de vista PSICOLÓGICO porque inicia en la MENTE.
¿Por qué usar el término PSICOLOGÍA? Porque es la ciencia que estudia la mente, es el estudio de la personalidad y del comportamiento y el estudio del razonamiento humano.

El Conflicto de Todos

Todo el conflicto que experimentamos en el mundo natural está conectado al mundo espiritual y la forma para que eso suceda desde lo natural es a través de la mente. (Conflictos en el mundo espiritual y natural)

LBA Efesios 6:12 Porque nuestra lucha no es contra sangre y carne, sino contra principados, contra potestades, contra los poderes de este mundo de tinieblas, contra las huestes espirituales de maldad en las regiones celestes.

Eso significa que las batallas espirituales de todos comienzan en la MENTE de nosotros y por eso es necesario tener presente lo que una TENTACIÓN es: Toda tentación es espiritual. Es una guerra espiritual que está relacionada con la mente y con los cinco sentidos, por esa razón, lo primero que necesitamos saber es como batallar para vencer la tentación, porque esta es un factor de la vida. Veamos tres versos que nos dan la base de esto:

LBA **Job 3:26** No tengo reposo ni estoy tranquilo, no descanso, sino que me viene turbación.

LBA **Job 5:7** porque el hombre nace para la aflicción, como las chispas vuelan hacia arriba.

LBA **Job 14:1** El hombre, nacido de mujer, corto de días y lleno de turbaciones,

Job definía sus problemas de manera muy interesante, el concepto Hebreo nos deja ver lo siguiente: Turbación es: #7267 ROGEZ, Significa: Intranquilo, la intranquilidad de un caballo, el retumbar del trueno, conmoción.

Una de las preguntas que todos debemos hacernos es: "¿Cómo entiendo mis problemas personales?" El enemigo utiliza los dos hemisferios del cerebro. Un lado para tentar a la mujer y otro lado para tentar al hombre.

Los problemas que el ser humano tiene son considerados de dos maneras:

- El Problema que yo tengo y el problema que viene por las personas con quien estoy conectado.
- Problemas por dentro y problemas por fuera.
- El problema consiente y el problema inconsciente.
- El problema natural y el problema espiritual.

La tentación consciente es lo físico que puedo ver, oír y palpar. Está relacionado con los cinco sentidos. La tentación inconsciente es la imaginación, la fantasía, lo que no podemos ver, tocar, oír ni oler pero la mente y la imaginación crean como una FOTOGRAFÍA y lo único que falta es llevarlo al cumplimiento.

EL CEREBRO Y LA MENTE: LOS CONECTORES DE DOS MUNDOS

El cerebro es el conector del mundo natural y la

mente es el conector del mundo espiritual. El ser humano es tres partes, según 1a. Tesalonicenses 5:23:, espíritu, alma y cuerpo.

- El cuerpo (Atrio) es el portón al alma.
- El alma (Lugar Santo) es el portón al espíritu.
- El espíritu (Lugar Santísimo) es el portón al cielo.

Funciones del Cerebro:

Es la parte que conecta con lo físico, es la parte natural que va conectada con nervios, células etc. Es el gran conector en el mundo natural. Está conectado a los cinco sentidos por donde aprendemos en la vida y controla al mundo del hombre natural, es capaz de llevar las leyes del cuerpo.

El Ser Humano es Motivado Por los Sentidos

Todo lo que nosotros aprendemos en la vida es a través de estos cinco sentidos:

- Por lo que vemos (ojos) = 1) pornografía, 2) la atracción por otra persona del sexo opuesto.

- Por lo que oímos (oídos) = música contaminante, palabras negativas o seductoras.
- Por lo que prueba (paladar) = 1) drogas, 2) alcohol (vicios).
- Por lo que toca (tacto) = se mueve por contactos o por ellos puede ser seducido, caricias.
- Por lo que olfatea (olfato)= perfumes, olores de comida, etc.

Como consecuencia, la parte emocional del hombre natural es cautivada por Satanás y el mundo emocional del hombre natural es controlado por las emociones: lo que sientes en la música, lo que ves en la pantalla, etc. Satanás es el motivador del mundo emocional y lo desarrolla hasta afectar lo físico a través del cerebro y los cinco sentidos que juegan con la mente, afectándola, sensaciones contra la fe, patrones de pensamientos contra la mentalidad del reino y pensamientos cíclicos contra la renovación del espíritu de la mente.

La mente es capaz de llevar las leyes espirituales

Hebreos 8:10 LBA PORQUE ESTE ES EL PACTO QUE YO HARE CON LA CASA DE ISRAEL DESPUES DE AQUELLOS DIAS, DICE EL SEÑOR: PONDRE MIS LEYES EN LA MENTE DE ELLOS, Y LAS ESCRIBIRE SOBRE SUS CORAZONES. Y YO SERE SU DIOS, Y ELLOS SERAN MI PUEBLO.

El cristiano que recibe información contaminante por los cinco sentidos y por el cerebro debe de renunciar a toda cosa negativa antes que sea procesada o escrita como una ley en la mente, antes que esa información lo conecte con el mundo espiritual.

Por esa razón, la Biblia nos exhorta a renovar nuestra mente.

Romanos 12:2 Y no os adaptéis a este mundo, sino transformaos mediante la renovación de vuestra mente, para que verifiquéis cuál es la voluntad de Dios: lo que es bueno, aceptable y perfecto.

Efesios 4:22 que en cuanto a vuestra anterior

manera de vivir, os despojéis del viejo hombre, que se corrompe según los deseos engañosos,

Efesios 4:23 y que seáis renovados en el espíritu de vuestra mente.

Según el pasaje de Romanos 12:2, respecto a la renovación de la mente, es la continuación del verso 1 el cual nos habla de un sacrificio diario. Es decir, que nuestra renovación debe ser diariamente, así como eran los sacrificios matutinos.

> Este es mi ángulo, las leyes tardan aproximadamente 24 horas para que sean escritas en la mente.

Es decir, en las próximas 24 horas si el creyente no ha renovado su mente, la información negativa que entró por los cinco sentidos y el cerebro lo conectará al mundo espiritual a través de la mente. (Espíritus inmundos)

Veamos algunas versiones de Isaías 26:3 para entender mejor el verdadero significado:

LBA **Isaías 26:3 Al de firme propósito guardarás en perfecta paz, porque en ti confía.**

RVA **Isaías 26:3 Tú guardarás en completa paz a aquel cuyo pensamiento en ti persevera, porque en ti ha confiado.**

La palabra perfecta, en el Strong, es #07965 y la palabra paz es #07965. Eso significa originalmente que Él te guardará en paz, paz (2 veces) cuya mente persevera en Él. (2 veces) ¿Por qué? Porque el cerebro tiene dos hemisferios.

LOS HEMISFERIOS DEL CEREBRO

Según los Neurocientíficos, por este par de hemisferios, el hombre posee dos formas de conocimientos, dos modos diferentes de procesar la información. El hemisferio izquierdo es, preferentemente responsable por las actividades del pensamiento lógico, la función del lenguaje verbal, racional, etc., mientras que el hemisferio derecho procesa más lo emocional, lo creativo y las imágenes.

DERECHO: Este controla el lado izquierdo del cuerpo

En su modalidad "vemos" cosas que podrían ser imaginarias, que sólo existen en la imaginación, o recordamos cosas que pueden ser reales. Con el hemisferio derecho soñamos y creamos nuevas combinaciones de ideas. Cuando algo es demasiado complejo para describirlo, podemos hacer gestos para comunicarlo. Se considera que el lado derecho es la fuente de la creatividad y de la imaginación, la visualización, la estimulación y los sueños.

IZQUIERDO: Este controla el lado derecho del cuerpo

El hemisferio izquierdo analiza, abstrae, cuenta, marca el paso, planea los procedimientos paso a paso, verbaliza, hace afirmaciones racionales de acuerdo a la lógica. Esto quiere decir que el modo de trabajar del hemisferio izquierdo es: la modalidad analítica, verbal, calculadora, secuencial, simbólica, lineal y objetiva. El lado izquierdo tiene el pensamiento lógico y traduce las imágenes del hemisferio derecho en manifestaciones físicas.

¿Por Dónde Llega la Tentación al Creyente?

Cuando Satanás desea manipular con tentación al creyente lo hace así: Para atacar el hombre lo hace por el lado derecho de su hemisferio, porque el hombre es más inclinado al izquierdo. Para atacar a la mujer lo hace por el lado izquierdo de su hemisferio por que ella es más inclinada al lado derecho.

Según una teoría, se dice que en el vientre materno durante el periodo de gestación el varón recibe un baño químico que le destruye algunas fibras que están conectadas con el cerebro lo cual no le sucede a la hembra.

LA PSICOLOGÍA DE SATANÁS

Cuando Satanás presentó la tentación a la mujer, primeramente le llegó por el lado izquierdo el cual es racional. NO le llegó por el lado emocional o derecho que significa la parte fuerte de la mujer.

Génesis 3:1-6 Pero la serpiente era astuta, más

que todos los animales del campo que el SEÑOR Dios había hecho; la cual dijo a la mujer: ¿Conque Dios dijo: No comáis de ningún árbol del huerto? [2] Y la mujer respondió a la serpiente: Del fruto de los árboles del huerto comemos; [3] mas del fruto del árbol que está en medio del huerto dijo Dios: No comeréis de él, ni tocaréis en él, para que no muráis. [4] Entonces la serpiente dijo a la mujer: No moriréis. [5] Mas sabe Dios, que el día que comiereis de él, serán abiertos vuestros ojos, y seréis como dioses, sabiendo el bien y el mal. [6] Y vio la mujer que el árbol era bueno para comer, y que era deseable a los ojos, y árbol de codicia para entender; y tomó de su fruto, y comió; y dio también a su marido, y comió con ella.

Al ser presentada la tentación al hombre (Adán), fue por el lado derecho, el lado emocional, el cual es la parte débil del hombre, porque él es razonador (izquierdo). Metafóricamente, Eva actúa como la parte derecha y Adán como la parte izquierda de los hemisferios de la mente, de manera que para llevarlos a caer en la tentación, Satanás lo ataca por el lado débil de cada uno, es decir, opuesto.

Al llegar por el lado opuesto o débil de ambos, ellos procesaron la información diferente y cayeron en la tentación.

Definiendo la Psicología de la tentación de Satanás, es hacerte que vayas o actúes de manera CONTRARIA en todas las cosas, por eso ataca la parte contraria del hemisferio de la mente: Contrario a la voluntad de Dios, contrario a tu espiritualidad, contrario a tu moral, contrario a tus responsabilidades etc.

La Tentación Introduce:

La tentación nos introduce a problemas, nos presiona a hacer lo equivocado aunque sepamos cual es lo correcto. Nos sugiere hacer lo incorrecto y esa información nos llega a través de una parte del cerebro, es decir, de uno de los hemisferios. La tentación es la antesala del pecado, donde el enemigo intenta manipular la mente de la persona.

EL PROCESO DE LA TENTACIÓN

La tentación viene de la palabra Hebrea DECEPCIÓN y significa que es un ataque por la debilidad. Podría decirse que es un intento para afectarte por algo en lo que eres débil o por la parte débil de uno de tus hemisferios. (TENTACIÓN: #G3986 viene de #G3985 PEIRASMO = experiencia del mal, provocación o pruebas.)

El diccionario del mundo dice que tentación es un estímulo que induce a obrar mal, impulso repentino que excita a hacer una cosa.

Veamos el proceso de la tentación en Génesis 3:

LBA **Génesis 3:1-6** Y vio la mujer que el árbol era bueno [2] para comer, y que era agradable [3] a los ojos, y árbol codiciable para alcanzar la sabiduría; y tomó [4] de su fruto, y comió; [5] y dio también a su marido 6, el cual comió así como ella.

La Psicología de la Tentación Satánica:

Lo que el enemigo tiene en mente es llevarte a hacer lo contrario por medio de los cinco sentidos. Por eso debemos ejercitarlos para no caer en su trampa.

Y vio = Lo miras: Lo que examinas con tus ojos se queda grabado en tu retina. Para grabar una imagen en la retina se necesita una fracción de un segundo durante la cual suceden cuatro cosas: percibes, asocias, evalúas y decides.

Era bueno = Lo apruebas: Imaginas un placer y razonas que te lo mereces en una parte de los hemisferios. (Imagen lado derecho, razona lado izquierdo) Haces un juicio y le das importancia.

Y que era agradable = Lo deseas: Fortaleces la idea y se ubica en una zona peligrosa. Aceptas que eso es lo que necesitas o quieres tener.

Y tomó = Lo tocas: Está envuelta en la experiencia de la sensación. El contacto te produce otro nivel de experiencia más agradable. En ese momento la barrera de precaución y temor que pudieras tener fue destruida con la sensación de tocarlo.

Y comió = Lo introduces al sistema: Lo pruebas y

entra el pecado al sistema del hombre. Esta es la acción que sigue las fases anteriores.

Y dio a su marido = Lo compartes: El pecador busca a otro para no hacerlo solo, busca compañía para compartir la culpa y la contaminación, lo asocia a alguien más.

LOS DISEÑOS DE LOS HEMISFERIOS DEL CEREBRO

Ya dije entonces que cuando Satanás desea manipular con tentación al creyente lo hace así: Para atacar el hombre lo hace por el lado derecho de su hemisferio, por que el hombre es más inclinado al izquierdo.

Hemisferio izquierdo:

Lógica, razonamiento, lenguaje, pensamiento analítico, iniciativa, voluntad, funciones especializadas, habilidades, calculador y consciente. Para atacar a la mujer lo hace por el lado izquierdo de su hemisferio por que ella es más inclinada al lado derecho.

Hemisferio derecho:

Reconocimiento, cara, patrones, imágenes visuales, atributos y habilidades, características de creatividad, riqueza imaginaria, reconocimientos de rostros y gestos, vive el aquí y el ahora y discierne.

Capítulo 7

Retornando a la Mente Original

Este capítulo te ayudará a comprender la importancia de la mente, de manera que contiene una especie de consejos en los cuales debes de reflexionar.

LBA **Efesios 4:23 y que seáis renovados en el espíritu de vuestra mente,**

Este pasaje contiene pocas palabras pero de grande y profundo valor para nuestra vida, nuestra victoria y nuestra realidad. Muchos lo hemos leído pero pocos hemos realizado lo que en él se nos dice.

EN EL ESPÍRITU DE LA MENTE

Allí es donde Dios desea que todos los creyentes, nota bien, TODOS, experimenten una RENOVACIÓN. Para darme a entender, debo de explicarle y definir las palabras que en Efesios 4:23 se mencionan.

Espíritu: En griego es la palabra: PNEUMA #4151 Significa: Aire, viento, espíritu, poder por el cual los humanos sienten, espíritu racional o del razonamiento. El poder de conocer, desear y decidir. (Esta definición es una de las más importantes.)

Aplicando la Palabra:

Renovaos en el espíritu, desde la intención original bíblica, significa que debemos hacerlo porque es un valioso principio, por causa de la disposición mental que sufrimos toda la humanidad descendientes de Adán.

Es decir, que Dios sabe que si alguno no se ha ocupado aun de renovar su mente posee disposición MENTAL a los asuntos de su Reino, a lo espirituales, a lo de arriba, etc.

Disposición Mental:

Esa palabra describe el estado de nuestra mente la cual se encuentra gobernada, está bajo y/o sujeta al espíritu de nuestra mente, es decir, que posee tendencias que pueden ser: nuestras tradiciones. Nuestros pensamientos nos dictan en lo que debemos creer, en que no creer, en que dudar , que cambiar, las cosas que podemos ganar y las que podemos perder, las cosas que puedo hacer y las que nunca podré lograr alcanzar.

Tu Percepción Determina Tus Acciones:

La realidad de lo que tú eres solo es reflejado con lo que haces. Si yo hago algo, eso solo es el reflejo de lo que pienso, mi percepción es hacerlo. De esa manera yo mismo me pongo las limitaciones y vengo a ser esclavo en esas limitaciones. Todas estas cosas y más son conducidas por el espíritu de nuestra mente y nos llevan a la derrota o vida sin originalidad.

La Gente que Vive Bajo Espíritu No Renovado:

Sin la renovación de la mente, la humanidad vive bajo el espíritu de su mente y de las cosas que ese espíritu ha creado.

LBA **Romanos 8:5** Porque los que viven conforme a la carne, ponen la mente en las cosas de la carne, pero los que viven conforme al Espíritu, en las cosas del Espíritu. Porque el espíritu siempre crea. Porque la realidad no está lo natural. Porque lo natural solo es el reflejo de lo que está en el espíritu.

No estoy diciendo que tu y yo vamos a crear de la nada algo material, eso solamente lo puede hacer Dios.

Lo Que Viene a la Existencia

Nosotros podemos traer a la existencia las cosas que están en el plano espiritual, cuando hablamos exponemos lo que pensamos. En los ambientes espirituales, en las atmósferas espirituales y en el estado de la mente.

Proverbios 6:2-3 Si te has enredado con las palabras de tu boca, si con las palabras de tu boca has sido atrapado, [3] haz esto ahora, hijo mío, y líbrate,…

Si no tenemos la mente RENOVADA, lo que traeremos a la existencia son las cosas negativas que existen en lo antes mencionado. Luego viene el desarrollo de esas cosas en nuestra realidad bajo nuestras condiciones: De acuerdo al estado de tu mente y de tu espíritu.

De esa manera eres controlado más y más por el espíritu de tu mente y, como consecuencia, el hombre y la mujer viven esclavos de su propia mente.

LBA **Romanos 6:16** ¿No sabéis que cuando os presentáis a alguno como esclavos para obedecerle, sois esclavos de aquel a quien obedecéis, ya sea del pecado para muerte, o de la obediencia para justicia?

Lo que hay dentro de mi, eso sigo, por ejemplo: Si vas a seguirte a ti mismo, deberás de saber que eso repercutirá en las cosas que haces.
Piensa en tus SECRETOS que nadie conoce, en tu verdadero TESTIMONIO, en las PALABRAS que usas a solas, en tu CONDUCTA o comportamiento, en tus DEFECTOS, en tus VICIOS del alma. Eso es lo que estás siguiendo cada día, todo eso te dirige. ¿Con esas credenciales vas a seguirte a ti mismo?

El Espíritu Renovando la Mente

Si el espíritu de la mente que conduce todas estas

cosas está de acuerdo al Espíritu de Dios, te encontrarás con lo bueno, lo aceptable y perfecto.

LBA Romanos 12:2 Y no os adaptéis a este mundo, sino transformaos mediante la renovación de vuestra mente, para que verifiquéis cuál es la voluntad de Dios: lo que es bueno, aceptable y perfecto.

Muchas cosas que hay en el espíritu no renovado las aprendimos antes de venir a Cristo y con ellas hemos vivido. El problema es que muchos creyentes piensan que con esos mismos PATRONES deben vivir ahora que están en Cristo.

En el espíritu renovado encontrarás que Dios no conoce derrotas, quiero decir con eso que, si Dios te guía te va a ejercitar para la victoria y no para la derrota. Encontrarás también que Él va a guiar tu vida de acuerdo a su voluntad.

Una Nueva Orden:

El espíritu renovado es una nueva orden de

pensamientos para nuestra humanidad pero es la orden antigua que significa la original. Nosotros no la conocemos al nacer biológicamente, pero estamos supuestos a conocerla al nacer de nuevo espiritualmente.

Salmo 78:2 En parábolas abriré mi boca; hablaré proverbios de la antigüedad,

Mateo 13:11-14 Y respondiendo Él, les dijo: Porque a vosotros se os ha concedido conocer los misterios del reino de los cielos, pero a ellos no se les ha concedido. [12] Porque a cualquiera que tiene, se le dará más, y tendrá en abundancia; pero a cualquiera que no tiene, aun lo que tiene se le quitará. [13] Por eso les hablo en parábolas; porque viendo no ven, y oyendo no oyen ni entienden. [14] Y en ellos se cumple la profecía de Isaías que dice: "AL OÍR OIRÉIS, Y NO ENTENDERÉIS; Y VIENDO VERÉIS, Y NO PERCIBIRÉIS;

Pero no es automático sino que debemos RENOVAR el espíritu de la mente. El espíritu renovado es libre de progreso, de avance, de excelencia. Es un espíritu con nuevo pacto.

LAS TRES DIMENSIONES DE LA MENTE PROFUNDA

La parte profunda de la mente tiene tres dimensiones donde están almacenados tres factores importantes. Tiene que ver con imágenes, patrones, fotografías, palabras, ministración, verdades, mentiras y sentimientos buenos o malos. La única forma para dar lugar a la revelación del Espíritu Santo es dejando ir la antigua manera de pensar.

La revelación del espíritu es en la mente profunda

Para darme a entender acerca de la necesidad de renovar el espíritu de la mente, necesariamente debo de ir a la explicación directa del trabajo del sub-consciente, cuya tarea es tomar información y procesarla, es decir, capturar por primera vez alguna información, luego la almacena para que sirva como referencia e influencia futura. (En cualquiera de los tres depósitos: I, P, S.)

Cuando se suscita una segunda vez alguna cosa, mi mente ya tiene la información, de manera que no voy a esforzarme mucho sino solo a aceptar y dejarme GUIAR por lo que tengo por dentro, (piloto automático), experiencias pasadas, escuelas pasadas etc. (sistemas de valores)

Los problemas de la mente profunda contra el Espíritu Santo

El problema de esto es, cuando el Espíritu Santo viene y quiere darnos a conocer algo del Reino, no lo aceptamos porque tenemos otra información por dentro, la cual hemos aceptado antes y nos ha acompañado por casi toda nuestra vida y la hemos practicado siempre etc.

Juan 14:26-27 Pero el Consolador, el Espíritu Santo, a quien el Padre enviará en mi nombre, Él os enseñará todas las cosas, y os recordará todo lo que os he dicho.

Juan 16:13 Pero cuando Él, el Espíritu de verdad, venga, os guiará a toda la verdad, porque no hablará por su propia cuenta, sino que hablará todo lo que oiga, y os hará saber lo que habrá de venir. Muchos son creyentes de varios años pero operando en el espíritu de su propia mente NO

RENOVADA. Los efectos de este problema es que la gente puede estar oyendo cosas gloriosas, sin embargo, no las puede aceptar o sobrellevar porque en su mente subconsciente hay otra información que le dice algo diferente.

Por ejemplo, Dios te dice: camina por fe y por dentro te dicen que no la vas a hacer. Dios te dice: siembra en el reino y por dentro te dicen que no porque eres pobre.

LIMPIANDO LA PARTE PROFUNDA DE LA MENTE

La manera para realizarlo está descrita en la palabra de Dios y esa es la responsabilidad de cada uno.

LBA Efesios 4:23 y que seáis renovados en el espíritu de vuestra mente,

Revisar tus cámaras profundas: 2a. Crónicas 29:16: Entraron los sacerdotes al interior de la casa del SEÑOR para limpiarla, y sacaron al atrio de la casa del SEÑOR toda la inmundicia que hallaron en el templo del SEÑOR. Entonces los levitas la recogieron para llevarla fuera al torrente Cedrón.

Las cámaras secretas del templo eran usadas como escondites y allí se guardaban los tesoros que eran botines de guerra etc. Esto es figura de donde nosotros almacenamos en el subconsciente la información.

Proverbios 24:4 con conocimiento se llenan las cámaras de todo bien preciado y deseable.
Cámaras: Cheder #2315 del Strong. La palabra hebrea encontrada en la Escritura para cámara es "CHEDER" que significa la parte más profunda, las cámaras ocultas, la parte interior o el lugar confidencial. En las escrituras se usa unas treinta y ocho veces la palabra cheder, encima de la mitad se refiere a una cámara confidencial, oculta, más profunda o salón.

Sacar de las cámaras profundas: 2a. Crónicas 29:16 Entraron los sacerdotes al interior de la casa del SEÑOR para limpiarla, y sacaron al atrio de la casa del SEÑOR toda la inmundicia que hallaron en el templo del SEÑOR. Entonces los levitas la recogieron para llevarla fuera al torrente Cedrón.

La segunda fase es sacar todo aquello contrario a la realidad de nuestra vida en Dios. Sacar es liberar, desatarnos, despojarnos, despedir, dejar ir toda la información antigua y aceptar la nueva verdad.

Meditar en la palabra para reprogramar: LBA Josué 1:8 Este libro de la ley no se apartará de tu boca, sino que meditarás en él día y noche, para que cuides de hacer todo lo que en él está escrito; porque entonces harás prosperar tu camino y tendrás éxito.

Meditar en su palabra es absorber lo que oímos para que seamos impactados en nuestro espíritu. A muchos creyentes, Satanás les roba lo que oyen porque no saben el significado bíblico de MEDITAD en la Palabra. Si tú escuchas una buena enseñanza por una hora, cuídate de no oír cosas negativas por lo menos las siguientes ocho horas. Cuando se habla de la clase de tierra, desde este ángulo, se refiere a la actitud del que oye la palabra.

El Proceso de Meditad

El proceso de meditad en la palabra de Dios dará ventaja al hombre y a la mujer que desean RENOVAR el espíritu de su mente.

Mateo 13:19 A todo el que oye la palabra del reino y no la entiende, el maligno viene y arrebata lo que fue sembrado en su corazón. Éste es aquel en quien se sembró la semilla junto al camino.

La Primera Fase según el versículo, es la palabra sembrada en el corazón, y la segunda fase es sembrarla en tu memoria = meditad.

Los Dos Estómagos de una Vaca

Esto es parecido al proceso que utiliza una vaca. Toma la comida y la retiene en el primer estómago hasta que está lleno. El siguiente paso es buscar un lugar donde descansar para traer la comida de regreso a la boca y comenzar el proceso de RUMIAR (Meditad). Cuando ya rumió la comida y la digirió apropiadamente, la envía al otro estomago. De esa manera será fortalecida la vida del animal. Meditad es la habilidad de grabar el material que oímos en nuestra mente para ser utilizada de múltiples formas y recibir completo beneficio. Solo así se logrará comunicar apropiadamente nuestro espíritu al Espíritu Santo y se construirá un nuevo sistema de valores.

LA IMPORTANCIA DE LA MENTE

El cambio de nuestra mentalidad ocurre únicamente cuando el creyente da lugar al verdadero Espíritu en su mente.

La Metamorfosis de la Mente

Transformar la vida, mediante la renovación de nuestro entendimiento, nos llevará a ser la verdadera persona que la Biblia dice que somos. Sin esa metamorfosis no importa la cantidad de educación, ni cuanto entrenamiento o estudio haya en la mente. Sin cambio de mente nunca llegarás a ser la persona que Dios creó.

La Llave de la Transformación:

Lleva a que experimentes un cambio de actitud, la cual simplemente se define como: "el establecimiento o acondicionamiento mental" que determina nuestra interpretación de la vida y responde a nuestro ambiente. Nada cambia en tu vida hasta que tu mente cambia. Las personas sin cambio de mente pueden mantenerse en la misma falla, los mismos errores, las mismas costumbres, las mismas tradiciones y los mismos pecados.

Las Herramientas del Cambio:

Nadie cambia hasta que las convicciones han sido establecidas en tu vida. La información simplemente no trae transformación, la conversión si la trae. La transformación es mediante el cambio del espíritu de la mente, que es el total del acondicionamiento: Cada uno es el total de todo lo que ha sido acondicionado en su mente, ni más, ni menos.

Creer no Garantiza Convicciones:

Crees en muchas cosas pero no las haces, de manera que no hay convicciones. Podemos decir a muchas cosas, eso es cierto, pero no obedecemos.

El Cambio del Pensamiento:

El cambio del pensamiento solo ocurre cuando aceptamos lo que oímos y concebimos lo que creemos, cuando concebimos, cambiará la forma que vemos las cosas.

La Fuerza Más Poderosa en la Tierra

Esta es la voluntad del hombre. El Espíritu de Dios creó el universo, pero no cambia tu mente hasta que tu la cambias.

El Cambio de los Fundamentos Equivocados

Si las convicciones no cambian, tus deseos son peligrosos y entonces tus decisiones lo serán también. Si tus decisiones son peligrosas, tu dirección en la vida está en peligro, si tu dirección está en peligro, tu destino lo estará también, tu legado en la próxima generación alcanzará los estragos.

Para finalizar quiero decir que con este estudio profundo, he equipado tu vida con sabiduría para

no dar lugar a la estrategia Satánica. Te recuerdo que si el espíritu de la mente esta de acuerdo con el Espíritu de Dios, encontrarás lo bueno, lo aceptable y perfecto. Con el espíritu renovado sabrás que Dios no conoce de derrotas, si Él te guía te va a ejercitar para la Victoria y no experimentarás la derrota.

PARTE III
LOS SELLOS
DE
JEZABEL

Capítulo 8

Los Sellos de Jezabel

Deseo desarrollar un tema muy delicado en esta oportunidad relacionado con la operación de Jezabel en los días finales.

1 Reyes 21:8 Y ella escribió cartas en nombre de Acab, las selló con su sello y envió las cartas a los ancianos y a los nobles que vivían en la ciudad con Nabot.

Jezabel forma parte de la historia bíblica, la cual tuvo que ver con una de las etapas de apostasía del pueblo de Israel. Lo impresionante de esto es que en esa historia bíblica Jezabel fue destruida literalmente, pero en Apocalipsis se menciona nuevamente así: "Permites a esa mujer Jezabel"; Eso significa que después de su muerte ella entra en categoría de potestad demoníaca.

Apocalipsis 2:20 'Pero tengo esto contra ti: que toleras a esa mujer Jezabel, que se dice ser profetisa, y enseña y seduce a mis siervos a que cometan actos inmorales y coman cosas sacrificadas a los ídolos.

Tolerar es permitir, darle lugar o parte, es estar de

acuerdo. No cabe duda que en ella operaba una potestad del mundo espiritual, esa potestad por su puesto es más antigua que la persona de Jezabel y que por sus hechos su nombre quedo codificado para reconocerla según sus operaciones.

Reseña Histórica de Jezabel

Jezabel: Era esposa del rey Acab, era rebelde manipuladora, ella había hecho que 10 millones de Hebreos, menos 7 mil dejarán el pacto con Dios. Ella fue una de las 4 mujeres que desarrollaron un plan para tratar de gobernar el mundo, es decir que fue una de las 4 peores enemigas del Reino de Dios. (Jezabel, Athalia, Semiramis, Vasti). Su fama se propagó por la fuerte influencia y la matanza que realizó contra siervos profetas y a la apostasía que llevó al pueblo de Israel. Según datos arqueológicos una de las maneras con las cuales propagó su temor era a través de amenazas escritas que firmaba con su sello.

Los Sellos Como Firmas

1 Reyes 21:8 Y ella escribió cartas en nombre de Acab, las selló con su sello y envió las cartas a los ancianos y a los nobles que vivían en la ciudad con Nabot.

Los sellos eran una costumbre de los tiempos antiguos y eran usados como firma en decretos, cartas etc. Si Jezabel sellaba literalmente en sus días, ahora que es una potestad continua usando esos mismo sellos y en los próximos capítulos lo explicaremos.

Los Sellos

El mundo espiritual opera a través de sellos, hay sellos de parte de Dios (Efesios 1:13, 4:30; Apocalipsis 7:4, 5) y el diablo como todo lo copia, utiliza también sellos. (Apocalipsis 13:16, 19:20) A continuación algunos ejemplos de las clases de sellos en el mover espiritual.

Los Sellos de Dios

Dios sella a los suyos, a sus hijos, para determinar que somos propiedad de Dios. (Efesios 1:13, 4:30; Apocalipsis 7:4, 5)

Los 5 Ministerios

Los 5 ministerios también tienen sello de parte de Dios, los Apóstoles, Profetas, Evangelistas, Pastores y Maestros tienen sello, no tienen gente sellada sino sello, Pablo decía: EL SELLO DE MI APOSTOLADO SOIS VOSOTROS.

1 Corintios 9:2 Si para otros no soy apóstol, para vosotros ciertamente lo soy; porque el sello de mi apostolado sois vosotros en el Señor.

La Clases de Sellos de las Tinieblas

Los sellos podían también ser usados para marcar lugares, personas y objetos como cartas etc.

La Tumba de Jesús Fue Sellada (Lugar)

Mateo 27:65 Pilato les dijo: Una guardia tenéis; id, aseguradla como vosotros sabéis. 66 Y fueron y aseguraron el sepulcro; y además de poner la guardia, sellaron la piedra.

La tumba fue sellada con la idea que no fuera

abierta, como quien dice nadie sale y nadie entra, el sello de Pilato manifestaba su influencia.

Las Almas Cauterizadas son Selladas Como con un Sello

1 Timoteo 4:1-2 Pero el Espíritu dice claramente que en los últimos tiempos algunos se apartarán de la fe, prestando atención a espíritus engañosos y a doctrinas de demonios. [2] Con hipocresía hablarán mentira, teniendo cauterizada la conciencia.

Cauterizar #2747 Kauteriazo significa sellar con hierro candente.

EL SELLO DE JEZABEL

Considerando que los sellos eran usados de diversas formas para demostrar múltiples cosas, puedo entender espiritualmente la clase de sello de Jezabel.

Hablaremos de esta potestad por causa del tiempo al que hemos entrado, el mover de restauración familiar, de las paternidades y las oposiciones que se presentarán para que no se lleve a cabo.

Este es el programa de Dios antes del día grande y terrible según Malaquías:

Malaquías 4:5-6 He aquí, yo os envío al profeta Elías antes que venga el día del SEÑOR, día grande y terrible. [6] Él hará volver el corazón de los padres hacia los hijos, y el corazón de los hijos hacia los padres, no sea que venga yo y hiera la tierra con maldición.

Por lo tanto el mover de restauración llamado "El espíritu de Elías" tiene que ver con Jezabel como enemiga que va a tratar de oponerse a que las familias sean restauradas. Es por esa razón que veo la necesidad de entender acerca de la operación de Jezabel y sus sello, y así, identificarlos y romperlos en el nombre de Jesús, para que no sea afectada nuestra Iglesia, los hogares o aun en las vidas de algunas personas. La base de los sellos de Jezabel esta plasmada en las escrituras (1 Reyes 21:8) además descubrimientos arqueológicos aportan valiosa información.

Descubrimiento Arqueológicos:

Arqueólogos de Harvard, que estaban cavando en unas ruinas de Samaria, la antigua capital de Israel, han encontrado un palacio que construyó Acab que contenía en su interior una habitación donde se almacenaban objetos de marfil. (Según www.biblehistory.net). Entre los hallazgos aparece el sello que tiene inscritas las letras "JZBL". Según la Biblia, Jezabel estaba perfectamente familiarizada con el proceso de sellar documentos. (1 Reyes 21:8)

Jezabel utilizaba sellos para declarar una operación en contra de algo que no le parecía favorable a sus planes, por ejemplo:

- Sellos para decretar algo en contra de alguna persona o institución.
- Sellos como marca de su poder.
- Sellos que denotaban su influencia.

El sello era la identificación de Jezabel: Contenía sus iniciales de su nombre y significa su influencia.

EL NOMBRE JEZABEL

El sello de Jezabel llevaba letras de su nombre y su nombre significa según algunas fuentes:

- Según el diccionario John: Sin cohabitación.
- Según Hitchcokch: Casto, castidad.
- Según Strongs antiguo: Castidad.
- Según el Webster: La no casada.

Debo de aclarar algo con relación a la palabra sellos: No es que Jezabel tenga varios sellos sino que el sello de Jezabel es usado con múltiples fines.

Iniciaremos la explicación de algunos sellos de

Jezabel, esto involucra la manera de cómo operan, la influencia que ejerce para cerrar y no permitir que otras cosas lleguen a un lugar o persona y así Jezabel mantener solamente el control de lo que allí pasa.

Capítulo 9

El Sello de la Manipulación

Jezabel viene de una región que significa casando, la génesis de Jezabel es la manipulación.

1 Reyes 16:31 Y como si fuera poco el andar en los pecados de Jeroboam, hijo de Nabat, tomó por mujer a Jezabel, hija de Et-baal, rey de los sidonios, y fue a servir a Baal y lo adoró.

La palabra Sidonios significa 'cazando'. El primer sello de Jezabel es la manipulación, esa es una de las formas que se usa para cazar almas desde tiempos antiguos. La manipulación es una forma de hechicería, esta ligada a la brujería, es un control sobre otros de manera mal intencionada. Hechicería: Viene de la palabra Hebrea Kashaph y significa encantamiento, brujería, hechicero, susurros. En el reino de Dios es ilegal cazar almas y eso lo podemos ver con ejemplos de personajes bíblicos que eran contrarios a la voluntad de Dios.

Los únicos cazadores de la Biblia además de Jezabel fueron:

Nimrod: Poderoso cazador rebelde, buscaba

establecer una ciudad con conexión con los astros (astrólogo), especie de brujo, adivino. (Génesis 10:8 - 9)

Esaú: Quien la Biblia lo llama profano. (Hebreos 12:16)

Cazar almas es uno de los sellos, eso significa que donde existe la manipulación hay un sello de Jezabel. Cuando este sello ha afectado a una congregación prevalecerá la manipulación como herramienta para conseguir ciertos propósitos. Nadie debe de cazar el alma de nadie, hay lugares donde se les hace a los miembros firmar documentos para aceptar coberturas, eso es una forma de cazar las almas. Ya no se diga también la manipulación a través de meditaciones o poner las mentes en blanco. Hay muchas forma de utilizar el sello de manipulación de Jezabel sea consciente o inconscientemente por ejemplo:

¿Quiénes Pueden Estar Manipulando?

- Los esposos, amenazando injustamente a sus familias con abandonarlas.

- Las esposas, no pagando su debito conyugal, usan el sexo para manipular.
- Los hijos, con amenazas de abandonar la casa o reportarlos con la ley por causa de alguna exhortación.
- Un ministro, amenazando con quitarles la cobertura a las ovejas o amenazándolos que los va entregar a Satanás si se van de su iglesia, etc.

2 Reyes 9:22 Y sucedió que cuando Joram vio a Jehú, dijo: ¿Hay paz, Jehú? Y él respondió: ¿Qué paz, mientras sean tantas las prostituciones de tu madre Jezabel y sus hechicerías?

¿Cómo Romper Éste Sello?

Renunciando a toda manipulación en nuestra vida y sometiendo nuestra vida a la guianza del Espíritu Santo y eso se consigue teniendo una comunión muy íntima con Dios. Las personas que están más propensas a ser manipuladas o manipuladores son los que no le dan el lugar al Espíritu Santo.

Capítulo 10

El Sello de la Destrucción

Jezabel está en contra de la restauración familiar, ataca las viñas las cuales son vistas en la Biblia como hogares o familias.

1 Reyes 21:7 Su mujer Jezabel le dijo: ¿No reinas ahora sobre Israel? Levántate, come, y alégrese tu corazón. Yo te daré la viña de Nabot de Jezreel.

Cualquier mensaje o mensajero que no haga énfasis en la restauración familiar esta siendo influenciado por Jezabel. Cualquier hogar, esposo, esposa e hijos que no permiten la restauración familiar deben de saber que allí hay un sello de Jezabel.

Jezabel esta en contra del mover final de restauración, ella esta en contra de el espíritu de Elías que hace volver el corazón de los padres a los hijos. (Malaquías 4)

Características del sello de Jezabel en la destrucción de viñas:

Desintegrar los hogares: Por divorcios, separaciones, falta de función paterna o materna. (Lucas 15:11, la madre del hijo prodigo)

Separar a los hijos: Los hijos que abandonan sus casas no podrán ser formados por sus padres, no podrán ser restaurados.

La falta de comunión con sus padres: Falta de comunicación puede llevar a la división en los hogares.

La falta de amor: Y la exigencia solo de conveniencias personales, el amor es la envoltura de todas las cosas como la provisión, diálogo, seguridad, disciplina, comunión, diversión etc.

La deshonra a los padres: Que los hijos no avergüencen a sus padres, desobedeciéndolos, etc.

¿Cómo Romper Éste Sello?

Debemos reconocer la necesidad de la restauración en nuestras familias, debemos humillarnos e identificar nuestras faltas y pedirle a Dios nos dé la capacidad de ser BUENOS PADRES y BUENOS HIJOS. (Veamos a nuestro Padre celestial y a su hijo Jesús)

Capítulo 11

El Sello del Odio

Este sello opera en contra de todos los hombres y mujeres que fluyen con dones espirituales. A Jezabel le molesta que existan hombres y mujeres con dones porque pueden descubrir su estrategia.

1 Reyes 19:2-4 Entonces Jezabel envió un mensajero a Elías, diciendo: "¡Así me hagan los dioses y aun me añadan, si mañana a estas horas yo no he hecho tu vida como la vida de uno de ellos!" [3] Entonces él tuvo miedo, y se levantó y huyó para salvar su vida. Así llegó a Beerseba, que pertenece a Judá. Dejó allí a su criado, [4] y él se fue un día de camino por el desierto. Luego vino, se sentó debajo de un arbusto de retama y ansiando morirse dijo: --¡Basta ya, oh Jehovah! ¡Quítame la vida, porque yo no soy mejor que mis padres!

Los profetas o siervos que están operando como Elías, son enemigos que Jezabel odia. A estos tratará de quitarles su cabeza, eso significa poner entre dicho su autoridad.

CORTA LA CABEZA

Puede ser de varias maneras, cuando ella vivía literalmente degollaba a los profetas de Dios. Como potestad demoníaca lo hizo con Juan el Bautista, pero hoy en día esta cortando cabezas en forma espiritual así:

1. Dañando el principio que Dios ha establecido, no respetando las autoridades establecidas por Dios. (falta de sujeción)
2. Profetas ambulantes: Que entran en casas y dan mensajes a las mujeres o familias y sin reconocer la cabeza de un marido.
3. Profetas sin cobertura: No tienen pastor, aunque sean profetas deben de tener pastor, no se diga cobertura apostólica y deben de respetar a los pastores.

Cuando el sello de Jezabel entra en acción contra la cabeza, conducirá a los creyentes a perder el control de sus actos, esto puede verse como perder la cabeza, el esposo que pierde el control y hace algo indebido, una esposa o un ministro en ira, en pecado etc. (La falta de dominio propio)

4. La soberbia, la rebelión es sello de Jezabel.

Juan Perdió la Cabeza

Jezabel había amenazado a Elías con cortarle la cabeza pero al no lograr ese objetivo, tal amenaza quedó como deuda pendiente la cual muchos años más tarde se reanudó.

Marcos 6:19 Pero Herodía le acechaba y deseaba matarle, aunque no podía; [20] porque Herodes temía a Juan, sabiendo que era hombre justo y santo, y le protegía. Y al escucharle quedaba muy perplejo, pero le oía de buena gana. [21] Llegó un día oportuno cuando Herodes, en la fiesta de su cumpleaños, dio una cena para sus altos oficiales, los tribunos y las personas principales de Galilea. [22] Entonces la hija de Herodía entró y danzó, y agradó a Herodes y a los que estaban con él a la mesa; y el rey le dijo a la muchacha: --Pídeme lo que quieras, y yo te lo daré. [23] Y le juró mucho: --Todo lo que me pidas te daré, hasta la mitad de mi reino. 24 Ella salió y dijo a su madre: --¿Qué pediré? Y ésta dijo: --La cabeza de Juan el Bautista. [25] En seguida ella entró con prisa al rey y le pidió diciendo: --Quiero que ahora mismo me des en un plato la cabeza de Juan el Bautista. [26] El rey se entristeció mucho, pero a causa del juramento y de los que estaban a la mesa, no quiso rechazarla. [27] Inmediatamente el rey envió a uno de la guardia y mandó que fuese traída su cabeza. Éste fue, le decapitó en la cárcel [28] y llevó su cabeza en un plato; la dio a la muchacha, y la muchacha se la dio a su madre.

Herodías	Juan el Bautista
Influenciada por el espíritu de Jezabel pide la cabeza de Juan	Tenía el poder y el espíritu de Elías. Lucas 1:17
Jezabel había prometido quitarle la cabeza a Elías	Con Elías no le fue posible pero se vengó con Juan el Bautista

¿Cómo Romper Éste Sello?

Reconocer autoridad es un acto de humildad esto debe de ser voluntario, como un principio de Dios.

Santiago 4:10 Humillaos en la presencia del Señor y Él os exaltará.

1 Pedro 5:6 Humillaos, pues, bajo la poderosa mano de Dios, para que Él os exalte a su debido tiempo,

El que se humilla voluntariamente, no necesita que lo humille Dios, Dios humilla a los que no son humildes voluntariamente.

Capítulo 12

Los Sellos de Castidad y Fornicación "Historia"

Esta es la continuación de lo que ya vimos de los sellos de Jezabel, los cuales fueron:

- **El sello de la manipulación.** (Hechicería)
- **El sello de la destrucción.** (Ataque a las familias)
- **El sello de odio.** (Destrucción de la autoridad)

LBA Apocalipsis 2:20. Pero tengo esto contra ti: que toleras a esa mujer Jezabel, que se dice ser profetisa, y enseña y seduce a mis siervos a que cometan actos inmorales y coman cosas sacrificadas a los ídolos.

La Potestad Jezabel

Ya mencionamos que Jezabel después de su muerte física queda en categoría de potestad por lo cual en Apocalipsis 2:20, es mencionada nuevamente.

2 Reyes 9:29-37 En el año once de Joram, hijo de Acab, Ocozías había comenzado a reinar sobre Judá. [30] Y llegó Jehú a Jezreel, y cuando Jezabel lo oyó, se pintó los ojos, adornó su cabeza y se

asomó por la ventana. [31] Y cuando entraba Jehú por la puerta, ella dijo: ¿Le va bien a Zimri, asesino de tu señor? [32] Entonces él alzó su rostro hacia la ventana y dijo: ¿Quién está conmigo? ¿Quién? Y dos o tres oficiales se asomaron desde arriba. [33] Y él dijo: Echadla abajo. Y la echaron abajo y parte de su sangre salpicó la pared y los caballos, y él la pisoteó. [34] Cuando él entró, comió y bebió; entonces dijo: Encargaos ahora de esta maldita y enterradla, pues es hija de rey. [35] Y fueron para enterrarla, pero de ella no encontraron más que el cráneo, los pies y las palmas de sus manos. [36] Entonces, volvieron y se lo hicieron saber. Y él dijo: Ésta es la palabra que el SEÑOR había hablado por medio de su siervo Elías tisbita, diciendo: "En la parcela de Jezreel los perros comerán la carne de Jezabel; [37] y el cadáver de Jezabel será como estiércol sobre la superficie del campo en la parcela de Jezreel, para que no puedan decir: 'Ésta es Jezabel.'"

Las manifestaciones del espíritu de Jezabel y sus influencias se dejaron ver a lo largo de la historia, pasando por el tiempo de Juan el Bautista, los días de las iglesias de Asia, hasta nuestro tiempo.

La Relación de Jezabel en el Mundo de los Espíritus

Hemos mencionado que esta mujer fue poseída por una potestad más antigua que su propia persona. La reina Jezabel como se conocía fue la persona indicada para ser usada como un vaso del mundo espiritual y así cumplir con los planes diabólicos. De la misma forma como Dios escoge vasos para su gloria, así en el reino de las tinieblas escogen a sus vasos con fines de maldad. Los factores que dieron lugar para que Jezabel fuera escogida, podrían ser los siguientes:

- Su origen: Sidón, que significa: "cazando".
- Su linaje familiar: Hija de brujos, su padre era sacerdote.
- Su religión: Idólatra, adoraban a Baal y Astarte
- Su carácter: Matriarcado
- Su nombre: Indicaba una ironía, "La casta"
- Sus planes: Estar en los palacios siempre como reina.

Jezabel y el Emblema de Ramera

Lo que voy a decirle es profundo y le va ayudar a entender, cual era la potestad que posesionó a Jezabel.

El Paralelismo de Jezabel con la Ramera de Apocalipsis

Apocalipsis 18:7 Cuanto ella se glorificó a sí misma y vivió sensualmente, así dadle tormento y duelo, porque dice en su corazón: "YO estoy SENTADA como REINA, Y NO SOY VIUDA y nunca veré duelo."

Las Fornicaciones:

Apocalipsis 17:2 Con ella han fornicado los reyes de la tierra, y los habitantes de la tierra se han embriagado con el vino de su fornicación".

Apocalipsis 2:20 Pero tengo unas pocas cosas contra ti: que toleras que esa mujer Jezabel, que se dice profetisa, enseñe y seduzca a mis siervos a fornicar y a comer cosas sacrificadas a los ídolos.

La mujer de Apocalipsis y Jezabel seducían con fornicaciones.

Vestidura de Reina y Prostituta

Apocalipsis 17:4 La mujer estaba vestida de púrpura y escarlata, y adornada con oro, piedras preciosas y perlas, y tenía en la mano una copa de oro llena de abominaciones y de las inmundicias de su inmoralidad,

2 Reyes 9:30 Y llegó Jehú a Jezreel, y cuando Jezabel lo oyó, se pintó los ojos, adornó su cabeza y se asomó por la ventana.

La mujer de Apocalipsis vestida como reina y adornada como Ramera igual que Jezabel.

Madre de Prostituciones:

Apocalipsis 17:5 y sobre su frente había un nombre escrito, un misterio: BABILONIA LA GRANDE, LA MADRE DE LAS RAMERAS Y DE LAS ABOMINACIONES DE LA TIERRA.

2 Reyes 9:22 Y sucedió que cuando Joram vio a Jehú, dijo: ¿Hay paz, Jehú? Y él respondió: ¿Qué paz, mientras sean tantas las prostituciones de tu madre Jezabel y sus hechicerías?

Madre de ramera y abominaciones, Jezabel prostituta y hechicera (Abominaciones)

Su Caída

Apocalipsis 18:6 Pagadle tal como ella ha pagado, y devolvedle doble según sus obras; en la copa que ella ha preparado, preparad el doble para ella.
2 Reyes 9:33-37 [33] Y él dijo: Echadla abajo. Y la echaron abajo y parte de su sangre salpicó la pared y los caballos, y él la pisoteó. [34] Cuando él entró, comió y bebió; entonces dijo: Encargaos ahora de esta maldita y enterradla, pues es hija de rey. [35] Y fueron para enterrarla, pero de ella no encontraron más que el cráneo, los pies y las palmas de sus manos. [36] Entonces, volvieron y se lo hicieron saber. Y él dijo: Ésta es la palabra que el SEÑOR había hablado por medio de su siervo Elías tisbita, diciendo: "En la parcela de Jezreel los perros comerán la carne de Jezabel; [37] y el cadáver de Jezabel será como estiércol sobre la superficie del campo en la parcela de Jezreel, para que no puedan decir: 'Ésta es Jezabel.'"

La sentencia es que en una hora caerá la mujer de Apocalipsis, Jezabel cayó desde una ventana y murió. Esto demuestra quien era realmente la potestad que vino sobre Jezabel y la intención hasta el día de hoy, la cual sería llevar a la humanidad a la corrupción en diferentes ángulos. Esto se ha llamado, El misterio de: "La mujer que cabalga la bestia".

Después de los comparativos hechos entre Jezabel y la mujer ramera de Apocalipsis, y después de haber explicado las relaciones entre ambas mujeres, continuaré con los siguientes sellos.

Capítulo 13

El Sello de la Castidad

Uno de los significados del nombre Jezabel es "Castidad" eso significa alguien que nunca se casa es decir que este sello significa que ella está en contra del matrimonio.

2 Reyes 9:22 Y sucedió que cuando Joram vio a Jehú, dijo: ¿Hay paz, Jehú? Y él respondió: ¿Qué paz, mientras sean tantas las prostituciones de tu madre Jezabel y sus hechicerías?

Definiciones:

- Castidad: Es la renuncia total al placer sexual. Voto de castidad: Renunciar a casarse, quedarse soltero.
- Castidad: Decencia, virginidad, honestidad, decoro, pudor, continencia, virtud, pureza, carencia de sensualidad.
- Castidad: Celibato es el estado en el que se encuentra quien no ha contraído matrimonio, especialmente al estado de los religiosos que han hecho voto de castidad: los sacerdotes Católicos deben vivir en celibato.

La Ironía de Su Nombre:

Según su nombre, significa casta, es decir que no conocía marido, pero era acusada de fornicación (Apocalipsis 2:20). Según Webster su nombre significaba "La no casada" pero era la esposa del rey Acab. (1 Reyes 16:31)

El Sello de la Castidad

La influencia de este sello de Jezabel es la prohibición de casarse, es un sello de soltería que no permite que muchos hombres y mujeres encuentren la pareja ideal.

1 Timoteo 4:1-3 Pero el Espíritu dice claramente que en los últimos tiempos algunos apostatarán de la fe, prestando atención a espíritus engañadores y a doctrinas de demonios, [2] mediante la hipocresía de mentirosos que tienen cauterizada la conciencia; [3] prohibiendo casarse y mandando abstenerse de alimentos que Dios ha creado para que con acción de gracias participen de ellos los que creen y que han conocido la verdad.

Hay mucha gente que no ha podido casarse porque

en los ambientes espirituales les han puesto el sello de castidad.

La Operación de Estos Sellos

Estos sellos pueden haber sido colocados voluntariamente, o involuntariamente o bien como maldiciones:

1. Padres que no aceptan que sus hijos se casen de tal manera que los obligan a permanecer con ellos sin casarse.
2. Consagrados a una potestad como vírgenes a través de votos personales.
3. Maldiciones, por brujería, por pactos ancestrales, por traumas psicológicos etc.

Mientras tanto hombres y mujeres viven con luchas, prostituyéndose en su mente de tal manera que practican la autosatisfacción sexual (masturbación).

El Sexo Sublimado

Es un don dado por Dios que no tiene nada que ver con el sello de Jezabel de castidad como le fue dado a Pablo para dedicarse a la obra.

Por otro lado existen personas que por causa de un demonio no necesitan literalmente una pareja por que son saciados por espíritus llamados íncubos o súcubos, como el ejemplo del presentador de televisión Walter Mercado. Quien en un programa dijo que no se casaba porque a él, los espíritus lo satisfacían. (Programa de TV en español del año 2006)

1 Corintios 7:7-9 Sin embargo, yo desearía que todos los hombres fueran como yo. No obstante, cada cual ha recibido de Dios su propio don, uno de esta manera y otro de aquélla. [8] A los solteros y a las viudas digo que es bueno para ellos si se quedan como yo. [9] Pero si carecen de dominio propio, cásense; que mejor es casarse que quemarse.

Los Eunucos

El Señor Jesucristo habló de los eunucos como personajes que no necesitaban tener relaciones sexuales o casarse, eran 3 grupos.

Mateo 19:12 Porque hay eunucos que así nacieron desde el seno de su madre, y hay eunucos que fueron hechos eunucos por los hombres, y también hay eunucos que a sí mismos se hicieron eunucos por causa del reino de los cielos. El que pueda aceptar esto, que lo acepte.

1. Eunucos que así nacieron: Estos casos no son comunes, pero se pueden considerar Eunucos también aquellos ejemplos de personas que mueren jóvenes sin conocer la experiencia sexual.
2. Eunucos por los hombres: Estos eran los que por medio de una operación capados o castrados literalmente.
3. Eunucos por causa del reino de los cielos: Como Pablo que vivía consagrado y había llegado a un nivel de santidad que el sexo había sido sublimado en él.

Pero el sello de Jezabel es aquel que no permite que la persona se case, pero que siga prostituyéndose en su mente y practicando inmoralidad.

¿Cómo Romper Este Sello?

Reconocer el problema y renunciar a todo voto, voluntario o involuntario, pedirle perdón al Señor por los pecados y las pasiones vividas. Renunciar a toda maldición y dichos sean de nuestros enemigos aún de nuestras familias. Que un ministro con unción de guerra espiritual, de liberación rompa el sello de Jezabel llamado Castidad.

Capítulo 14

El Sello de la Fornicación

Este sello va íntimamente ligado al anterior es decir al de la castidad, ya que la fornicación es la prostitución del cuerpo sexualmente.

Apocalipsis 2:20 Pero tengo unas pocas cosas contra ti: que toleras que esa mujer Jezabel, que se dice profetisa, enseñe y seduzca a mis siervos a fornicar y a comer cosas sacrificadas a los ídolos.

Jezabel Hizo Caer a Muchos

Jezabel en los días de Acab hizo que diez millones de Hebreos, menos 7 mil dejaran el pacto con Dios. No se sabe si los profetas que ella tenía habían sido de Dios primeramente y los había corrompido.

La Fornicación

Es un pecado del cuerpo, esto involucra intercambio sexual fuera del matrimonio (adulterio), adoración de ídolos y sexo con demonios (Incubo y Súcubo) y con animales (Bestialismo). Aunque se define cada situación con diferentes términos sigue siendo fornicación por su significado; por definición es prostitución del cuerpo igual a pecado del cuerpo. Toda aquella práctica sexual fuera del matrimonio es fornicación. Todo aquello que se practica fuera del limite del pudor y la santidad, es amancillar el matrimonio por lo tanto es fornicación.

Fornicación es deshonrar el cuerpo.

La Fornicación de los Reyes de la Tierra

Apocalipsis 17:2 Con ella han fornicado los reyes de la tierra, y los habitantes de la tierra se han embriagado con el vino de su fornicación".

Ahora tocaremos el lado religioso de la fornicación, es decir cómo se puede prostituir alguien que dice ser representante de Dios o que habla en el nombre de Dios. Para entender quienes eran estos reyes permítame invitarle a leer el libro "Una mujer cabalga la bestia" del autor David Hunt.

Dicho libro dice: La parte "El dominio de los reyes" (pag. 237, 238, 239, 242, 243) Los papas eran considerados reyes en el vaticano, en el año de 1929 Benito Mussolini constituyó al vaticano como provincia independiente de Italia, con su propia moneda y gobierno. Desde esa fecha 7 papas han gobernado en ese estado independiente.

Apocalipsis 17:10-11 y son siete reyes; cinco han caído, uno es y el otro aún no ha venido; y cuando venga, es necesario que permanezca un poco de tiempo. [11] Y la bestia que era y no es, es el octavo rey, y es uno de los siete y va a la destrucción.

El sello de castidad en los obispos conectado a la fornicación.

1 Timoteo 4:3 prohibiendo casarse y mandando abstenerse de alimentos que Dios ha creado para que con acción de gracias participen de ellos los que creen y que han conocido la verdad.

Castidad: Nombre de Jezabel

Los obispos debían de hacer voto de castidad: eso significa no matrimonio, no herederos. En definición un ataque al matrimonio que Dios instituyó.

Tito 1:6-7 esto es, si alguno es irreprensible, marido de una sola mujer, que tenga hijos creyentes, no acusados de disolución ni de rebeldía. [7] Porque el obispo debe ser irreprensible como administrador de Dios, no obstinado, no iracundo, no dado a la bebida, no pendenciero, no amante de ganancias deshonestas,

Para demostrar como Jezabel ponía su sello de castidad en el ángulo religioso nuevamente considere la información del libro de David Hunt: Las raíces del Celibato (pag. 168, 169, 170, 173) y Un sistema de prostitución. (pag. 170, 171,)

Los problemas de muchos matrimonios que hoy están en la iglesia de Cristo, pudieron originarse a que "fueron unidos" entre comillas lo digo, por líderes espirituales de esta iglesia marcada con el sello de Jezabel. "Sello de la fornicación" Las razones del porque hay mucho conflicto en muchas áreas se debe a eso. En lo sexual, en lo económico, en la santidad, en la fidelidad etc.

¿Cómo Romper Este Sello?

Buscar a un ministro que rompa toda influencia de imposición de manos, que rompa toda "bendición" que vino de ese sistema. Si es posible renovar los votos matrimoniales con un ministro que no pertenezca y que no tenga el sello de castidad y fornicación de Jezabel.

Capítulo 15

El Sello de la Incubación Jezabélica

Para establecer la enseñanza en su corazón haremos un resumen de los sellos que hemos estudiado hasta el momento:

Resumen de los Sellos

1. El sello de la **manipulación:** Hechicería para cazar las almas.
2. El sello de la **destrucción:** Operación para destruir las familias.
3. El sello del **odio:** Operación en contra de la estructura de autoridad es decir las cabezas.
4. El sello de la **castidad:** Operación en contra del matrimonio.
5. El sello de **fornicación:** Operación para corromper el cuerpo.

Lo importante de esto es que también vimos como romperlos y salir de los efectos de influencia de Jezabel.

El Sello de la Incubación Jezabélica

1 Reyes 16:29-33 Acab, hijo de Omri, comenzó a reinar sobre Israel en el año treinta y ocho de Asa, rey de Judá, y reinó Acab, hijo de Omri, sobre Israel en Samaria veintidós años. [30] Y reinó Acab hijo de Omri sobre Israel en Samaria veintidós años. Y Acab hijo de Omri hizo lo malo ante los ojos de Jehová, más que todos los que reinaron antes de él. [31] Y como si fuera poco el andar en los pecados de Jeroboam, hijo de Nabat, tomó por mujer a Jezabel, hija de Et-baal, rey de los sidonios, y fue a servir a Baal y lo adoró. [32] Y edificó un altar a Baal en la casa de Baal que edificó en Samaria. [33] Acab hizo también una Asera. Así Acab hizo más para provocar al SEÑOR, Dios de Israel, que todos los reyes de Israel que fueron antes que él.

Estos versos nos dejaran ver como le fue incubado el espíritu de Jezabel en la vida del rey Acab. Hablaremos un poco de este rey y después le explicare esta revelación.

La Historia de los Reyes de Israel

Acab fue uno de los reyes de Israel, el cual secasó con Jezabel.

Los primeros tres Reyes fueron Saúl, David y Salomón estos gobernaron sobre todo Israel por 40 años cada uno. Después de la muerte de Salomón el reino fue dividido en Norte y Sur 19 reinos del sur y 20 reinos del norte

Esto fue así hasta los días de la invasión Babilónica y la destrucción de Jerusalén y el templo.

El rey Acab pertenecía al reinado del norte y fue el rey número siete, el cual gobernó durante 22 años. Su padre era Omri, quien después de librar conflictos entre su reinado y el reinado de Tiro, (la cual era la habitación de los sidonios de donde venía Jezabel); hizo la paz con Tiro, sellando un tratado de paz de la manera siguiente.

El Sello del Tratado de Paz

Omri ofreció a su hijo en casamiento con Jezabel, y como era la costumbre de aquellos días ese casamiento se llevo acabo como evento religioso y político de tal manera que se estableció una alianza inmunda.

1 Reyes 21:25-26 Ciertamente no hubo ninguno como Acab que se vendiera para hacer lo malo ante los ojos del SEÑOR, porque Jezabel su mujer lo había incitado. [26] Su conducta fue muy abominable, pues fue tras los ídolos conforme a todo lo que habían hecho los amorreos, a los que el SEÑOR había echado de delante de los hijos de Israel.

> Toda la contaminación de Jezabel transmitida a Acab fue por medio de las relaciones maritales es por eso que vamos a usar él termino incubación del espíritu Jezabeliano y considerar el peligro de una relación sexual sin tener conocimiento del espíritu de la otra persona.

El Intercambio Sexual

Por medio de un intercambio marital, o sexual Acab entro al mundo de Jezabel. La Biblia dice que Jezabel se especializaba en hacer caer reyes y siervos usando el arma de la sensualidad y la fornicación.

Apocalipsis 2:20 'Pero tengo esto contra ti: que

toleras a esa mujer Jezabel, que se dice ser profetisa, y enseña y seduce a mis siervos a que cometan actos inmorales y coman cosas sacrificadas a los ídolos.

Jezabel se especializa en tres cosas para corromper sexualmente: Seducción, fornicación Y prostitución

Los Íncubos de Otra Personalidad

Cada vez que una persona cae con otra o se compromete en intimidad sexual, parte de la persona es liberada en la otra y él vacío que queda es lleno con una parte de la otra persona con la que tiene la relación, por eso él término apropiado de la relación sexual es **"intercambio sexual"**. Si la persona que te llena es alguien con problemas de ira, avaricia, depresión, debilidad, idolatría o más, tú vas ir perdiendo diariamente parte de tí mismo y comenzarás a deslizarte en el mundo de aquel o aquella persona. Las escrituras nos dicen esto al respecto: 2 Corintios 6:14 No estéis unidos en yugo desigual con los incrédulos, pues ¿qué asociación tienen la justicia y la iniquidad? ¿O qué comunión la luz con las tinieblas?

Esto fue exactamente lo que le sucedió a Acab, ella era más dominante y le fue incubado el sello Jezabeliano.

> Las personas solteras deben de meditar en esto para que un espíritu dominante no sea incubado en él o ella por medio de un contacto sexual.

La mentira de Satanás ha sido siempre, que una vez no lastimará nada, ni a nadie pero esa experiencia luego se convierte en una adicción de la cual la persona mas tarde querrá regresar por más y más.

Lo Intoxicante de Ese Sello

En este sello Jezabeliano lo intoxicante pueden haber sido incubado en el pasado y la responsabilidad de todo creyente es asegurarse que este sello sea roto. Puede tomar mucho tiempo para que una persona se recupere o sea liberada de alguna experiencia pasada. Nadie podrá caminar fácilmente y seguir siendo la persona que era. Porque una vez que se ha dado la conexión en ambas personas, es decir la incubación, la semilla ya ha sido plantada, y dependiendo del espíritu dominante de la otra persona así será su mundo dentro de poco.

1 Corintios 6:16-18 ¿O no sabéis que el que se une a una ramera es un cuerpo con ella? Porque Él dice: LOS DOS VENDRÁN A SER UNA SOLA CARNE. [17] Pero el que se une al Señor, es un espíritu con Él. [18] Huid de la fornicación. Todos los demás pecados que un hombre comete están fuera del cuerpo, pero el fornicario peca contra su propio cuerpo.

La Incubación Desde el Punto de Vista Médico:

Usaré la teoría médica con el fin de aplicar lo espiritual y darnos la idea de cómo opera el engaño de la incubación. (Puede variar, pero veamos un ejemplo). Médicamente hablando el período de tiempo de la incubación está entre la infección y la apariencia física.

Por Ejemplo: La sífilis enfermedad venérea,

(Viene de Venus) dura 21 días para incubar y durante ese período, las otras personas no se dan cuenta de su mal, por que no muestra señales físicas aún. Eventualmente vienen estados de salud por una o cinco semanas, pero la verdad es que continúa infectado. ¿Cuántas veces la gente presenta síntomas de salud y piensa que ha sido sanada de esa área de pecado?; pero en algunos casos solo es abstinencia que "no es sinónimo" de liberación. Temporalmente deja de ver pornografía, temporalmente deja de cometer actos inmorales, pero eso es un esfuerzo humano solamente, esa persona necesita que se rompa el sello de incubación Jezabélica.

Los Espíritus Dominantes Jezabelianos Incubados

Veamos las actitudes Jezabelianas es decir el espíritu de manipulación, en ambos sexos y sus características.

Proverbios 6:26 porque por una prostituta (Jezabel) el hombre es reducido a un bocado de pan, y la mujer ajena caza una vida valiosa.

Después de haber cumplido el tiempo preciso de la incubación la persona tendrá los siguientes síntomas de dominio sobre otro (a).

Características de un Hombre Controlador y Abusador (Jezabeliano)

1. Usa las escrituras para manipular a la mujer a que se someta a una completa sujeción a él. (Apocalipsis 2:20 dice que enseña)
2. Hace que ella se vuelva enemiga de su familia y amistades.
3. Constantemente la reduce confrontándola con sus grandezas.
4. La cela y la avergüenza públicamente.
5. Le da regalos después de los abusos físicos y verbales.
6. El no deja ser nunca confrontado.
7. Controla todas las situaciones y siempre es la culpa de las demás personas.
8. Controla el dinero de ambos.
9. Sofoca a la mujer manteniéndola cerca de él, para saber con quien habla y que piensa. Él tiene que saber en todo momento lo que ella hace y donde está.
10. Generalmente él tiene la herencia de uno de

sus padres controladores.

Características de Una Mujer Controladora y Abusadora (Jezabeliano)

1. Ella es una mujer insegura.
2. Compra amistades y amor dando regalos.
3. Hace que el hombre se haga enemigo de sus amistades y familia.
4. Usa trucos para controlar al hombre por ejemplo: Cuando todos salen para tener un buen momento como una cena, al momento que ella no es el centro de la atención, ella va a fingir un dolor de cabeza o de estomago para hacerlo volver a casa.
5. Ella habla con mucha sensibilidad y luego argumenta.
6. No permite que él tome decisiones por sí mismo, ella lo controla por medio de su educación.
7. Si su madre fue controladora, ella es la replica.
8. Ella se coloca en rango superior sobre él.
9. Ella usa el sexo para manipular.

Cómo Romper Este Sello

Tres cosas muy importantes para romper este sello de la incubación Jezabélica.

1- La investigación ancestral

Proverbios 26:2 Como el gorrión en su vagar y la golondrina en su vuelo así la maldición no viene sin causa.

Trata de encontrar la historia de tu familia, la causa de las maldiciones del pecado sexual. Al descubrirlo hay que atacarlo, renunciando a eso. Después de ello no te quedes carente de conocimiento por que la ceguera espiritual te hace caer nuevamente en tinieblas.

2- Honestidad y arrepentimiento

1 Juan 1:9 Si confesamos nuestros pecados, Él es fiel y justo para perdonarnos los pecados y para limpiarnos de toda maldad.

Se honesto contigo mismo, por que Dios conoce muy bien tu problema. Confiesa tu pecado delante de Él abiertamente. De esa manera se romperá la incubación del sello Jezabeliano y usted caminará en la senda estratégica de su liberación.

3- La Abstinencia

Proverbios 6:27 ¿Puede un hombre poner fuego en su seno sin que arda su ropa?

Aquella persona que ha sido liberada no debe tomarse de la mano con cosas que lo hagan recordar sus adicciones sexuales pasadas.

Los Resultados del Rompimiento del Sello Jezabeliano

La manera de reconocer que el sello de incubación Jezabeliano a sido roto es muy práctico, veamos las cinco formas:

1. Las metas futuras, de él, y ella están en armonía.
2. Cuando están juntos se sienten confortables de tal manera que no experimentan ninguna ansiedad.

3. La mayor parte que pasan el tiempo junto, no lo mal gastan en conflictos y desacuerdos.
4. Él y ella no ponen presión para hacer las cosas, no importa cual sea el área, todo es voluntario para agradar al otro.
5. Estarán dispuestos a resolver conflictos de manera saludable sin que nadie sea avergonzado.

Hasta este punto he abordado todo lo relacionado con los sellos de Jezabel para darle paso al siguiente tema que será conocer de esta potestad y sus artimañas en contra de aquellos creyentes que fungen como padres espirituales.

Capítulo 16

Las Batallas del Pregonero de las Paternidades

Los ambientes familiares existentes son, en la congregación: Padre del alma. En los hogares: Padres biológicos, y al nivel de relación de hijos de Dios con nuestro Padre celestial: Padre de los espíritus.

La Base Bíblica:

LBA **Malaquías 4:6 Él hará volver el corazón de los padres hacia los hijos, y el corazón de los hijos hacia los padres, no sea que venga yo y hiera la tierra con maldición.**

Esta muy claro en este pasaje que antes de que Dios maldiga la tierra, enviará un mover de restauración familiar. Herir la tierra con maldición puede interpretarse como sacudir casas, traer juicio a hogares; no todos por supuesto, porque algunos sí permitirán esa restauración y otros no.

Volver el Corazón de los Padres

Elías literalmente lleva acabo esa labor y confronta al pueblo de Israel, especialmente a quienes se habían apartado de los pactos ancestrales o patriarcales dados por Dios a pueblo de Israel. A eso se le llama teológicamente: "La apostasía de Israel", que en definición es un divorcio espiritual primeramente con Dios y luego con sus padres patriarcales. Con base a esas definiciones, puedo decir que la falta de una buena relación entre el hijo espiritual con su Padre celestial, con su padre del alma y con su padre biológico es una apostasía o divorcio.

> En este siglo ya es bien conocido el divorcio de los hijos hacia sus padres.

Los Líderes: Los Primeros Llamados a Ser Restaurados

Los líderes de las iglesias son los primeros que deben de reflexionar, para ver como está su relación familiar. (Vivir la palabra para ser verdaderos discípulos)

Juan 13:35 En esto conocerán todos que sois mis discípulos, si os tenéis amor los unos a los otros.

Santiago 1:22 Sed hacedores de la palabra y no

solamente oidores que se engañan a sí mismos.

Los líderes debemos de ser los primeros de considerar algunas cosas para no estar enseñando algo que no vivimos o sentimos. Porque eso puede dar lugar a que venga sobre su vida un engaño por medio de la potestad demoníaca, el cual es quien ha afectado las relaciones, para convertirse en tropiezo de esta restauración de paternidades.

La Realidad de Nuestro Liderazgo

¿Cómo está tu relación con tu padre celestial? ¿Le está honrando?, ¿Le está obedeciendo? ¿Le está diezmando?

Malaquías 2:10 ¿No tenemos todos un mismo padre? ¿No nos ha creado un mismo Dios? ¿Por qué nos portamos deslealmente unos contra otros, profanando el pacto de nuestros padres?

¿Cómo esta su relación con su padre biológico? ¿Ya le perdonó sus errores y sus faltas? ¿Está orando por él?

Efesios 6:2 Honra a tu padre y a tu madre (que es el primer mandamiento con promesa) 3 para que te vaya bien y vivas largo tiempo sobre la tierra.

Si tiene hijos biológicos o familia, ¿cómo está su relación con ellos? ¿Es paciente, equilibrado, amoroso y justo?

Efesios 6:4 Y vosotros, padres, no provoquéis a ira a vuestros hijos, sino criadlos en la disciplina e instrucción del Señor.

¿Cómo está su relación con el padre de su alma? ¿Reconoce su paternidad?, ¿Le reconocen a Ud. como hijo?, ¿Tiene buena relación con su Pastor?, ¿Está aferrado a una paternidad vieja o caída?

Hebreos 13:17 Obedeced a vuestros pastores y sujetaos a ellos; porque ellos velan por vuestras almas, como quienes han de dar cuenta. Permitidles que lo hagan con alegría y no quejándose, porque eso no sería provechoso para vosotros.

¡Cuidado! No debes enseñar lo que no vives para

que no tome ventaja la potestad que opera en contra de la restauración familiar.

El Espíritu de Elías (forma de identificar ese mover)

El profeta Elías tuvo enfrentamientos con una mujer llamada Jezabel y si nosotros estamos fluyendo en la promesa de Dios y en la restauración debemos de entender quién fue y será el enemigo "número 1" de esa operación de restauración. Es menester que examinemos completamente toda la fotografía histórica y considerarla de una manera personal porque somos los responsable de transmitir estas enseñanzas en los discipulados y eso nos puede llevar a tener algunos conflictos, es decir batallar con el espíritu de Jezabel.

Jezabel Enemiga de las Familias

1 Reyes 21:1-7 Pasadas estas cosas aconteció que Nabot de Jezreel tenía una viña en Jezreel, junto al palacio de Acab, rey de Samaria. [2] Y Acab habló a Nabot diciendo: --Dame tu viña para que me sirva como huerto de verduras, porque está junto

a mi casa, y yo te daré por ella otra viña mejor que ésta. O si te parece mejor, te pagaré su precio en dinero. [3] Nabot respondió a Acab: --¡Guárdeme Jehovah de darte la heredad de mis padres! [4] Acab se fue a su casa decaído y enfadado por las palabras que le había respondido Nabot de Jezreel, quien le había dicho: "No te daré la heredad de mis padres." Se acostó en su cama, volvió su cara y no tomó alimentos. [5] Jezabel, su mujer, fue a él y le preguntó: --¿Por qué está decaído tu espíritu, y no tomas alimentos? [6] Y él le respondió: --Porque hablé con Nabot de Jezreel y le dije: "Dame tu viña por dinero; o si te parece mejor, te daré otra viña por ella." Y él respondió: "No te daré mi viña."[7] Su mujer Jezabel le dijo: --¿Tú actúas ahora como rey sobre Israel? ¡Levántate, toma alimentos, y alégrese tu corazón! ¡Yo te daré la viña de Nabot de Jezreel!

> La viña es representativa de la familia, según Isaías 5 y según Salmos.

Cantares 1:6 No os fijéis en que soy morena, pues el sol me bronceó. Los hijos de mi madre se enojaron contra mí y me pusieron a cuidar viñas.

¡Y mi propia viña no cuidé!

Las Batallas del Líder

Como Jezabel se opone a la restauración de las familias tratará de afectar a los pregoneros de la restauración de las paternidades.

Es decir a usted como discipulador, maestro o pregonero de esta doctrina y la manera que usará es estorbando su vida familiar. Eso mismo hizo con el profeta Elías, lo acosó para que no continuara con la operación de restauración.

Reyes 19:1-4 Acab informó a Jezabel de todo lo que Elías había hecho y de cómo había matado a espada a todos los profetas. [2] Entonces Jezabel envió un mensajero a Elías, diciendo: "¡Así me hagan los dioses y aun me añadan, si mañana a estas horas yo no he hecho tu vida como la vida de uno de ellos!" [3] Entonces él tuvo miedo, y se levantó y huyó para salvar su vida. Así llegó a Beerseba, que pertenece a Judá. Dejó allí a su criado, [4] y él se fue un día de camino por el desierto. Luego vino, se sentó debajo de un arbusto de retama y ansiando morirse dijo: --

¡Basta ya, oh Jehovah! ¡Quítame la vida, porque yo no soy mejor que mis padres!

1 Reyes 18:40 Entonces Elías les dijo: Prended a los profetas de Baal, para que no escape ninguno. Y ellos los prendieron; y los llevó Elías al arroyo de Cisón, y allí los degolló.

Es importante que me presten atención a esto, y puedan fortalecer sus relaciones familiares.

Jezabel tratará de hacerle huir por medio de problemas por eso Ud. y yo debemos mantener una buena comunicación con los nuestros.

Vamos algunas cosas:

Puede ser que trate de poner conflictos en su matrimonio. Puede ser que trate de poner desobediencia en sus hijos. Su estrategia es quitar cabeza; eso significa pisotear la autoridad que Dios ha establecido. Poner en entredicho la autoridad a través de mentiras y de difamación.
Por el mal uso de la autoridad, tales como: abusos psicológicos y físicos. Por falta de

responsabilidad, ausencia de provisión, no cuidado y falta de instrucción.

> Cualquier método que utilice o se haga valer de cualquier argumento es figura de quitar cabeza.

Amenazas Antiguas

Jezabel había amenazado a Elías con cortarle la cabeza, pero al no conseguirlo, esa amenaza quedó como deuda pendiente la cual años mas tarde se reanudó.

Marcos 6:19-28 Pero Herodía le acechaba y deseaba matarle, aunque no podía; [20] porque Herodes temía a Juan, sabiendo que era hombre justo y santo, y le protegía. Y al escucharle quedaba muy perplejo, pero le oía de buena gana. [21] Llegó un día oportuno cuando Herodes, en la fiesta de su cumpleaños, dio una cena para sus altos oficiales, los tribunos y las personas principales de Galilea. [22] Entonces la hija de Herodía entró y danzó, y agradó a Herodes y a los que estaban con él a la mesa; y el rey le dijo a la muchacha: --Pídeme lo que quieras, y yo te lo daré. [23] Y le juró mucho: --Todo lo que me pidas te daré, hasta la mitad de mi reino. [24] Ella salió y dijo a su madre: --¿Qué pediré? Y ésta dijo: --La cabeza de Juan el Bautista. [25] En seguida ella entró con prisa al rey y le pidió diciendo: --Quiero que ahora mismo me des en un plato la cabeza de Juan el Bautista. [26] El rey se entristeció mucho, pero a causa del juramento y de los que estaban a la mesa, no quiso rechazarla. [27] Inmediatamente el rey envió a uno de la guardia y mandó que fuese traída su cabeza. Éste fue, le decapitó en la cárcel [28] y llevó su cabeza en un plato; la dio a la muchacha, y la muchacha se la dio a su madre.

Finalizo esta primera parte diciendo: donde no se reconoce autoridad y paternidad, Jezabel establece su matriarcado, para adoptar hijos, que son los llamados "hijos de Jezabel".

Capítulo 17

Los Hijos de Jezabel "La Importancia del Engendramiento"

Hace algún tiempo se estuvieron desarrollando estudios que explicaban la necesidad de ser engendrados dentro del reino de Dios.

RE-ENGENDRAR

Juan 1:12 Pero a todos los que le recibieron, les dio el derecho de llegar a ser hijos de Dios, es decir, a los que creen en su nombre.

Somos engendrados en tres planos:

1. En el espíritu por Dios. El es el padre de los espíritus (Hebreos 12:9)
2. En el cuerpo o biológicamente. Por nuestro padres terrenales.
3. En el alma o espiritualmente. Por ministros de Dios (Tito 1:4; Filemón 1:10; 1 Juan. 2:1; 2:12; 5:21; Hebreos 13:17)

El ser humano o creyente corre un peligro.

Y ese peligro consiste en que los ambientes negativos los solicitan para ser Re-engendrado y se valen de algunas cosas como:

- La religión o la vida religiosa.
- La Hipocresía.
- La falta de paternidad legitima espiritual.

Mateo. 23:15 ¡Ay de vosotros, escribas y fariseos, hipócritas!, porque recorréis el mar y la tierra para hacer un prosélito, y cuando llega a serlo, lo hacéis hijo del infierno dos veces más que vosotros.

Los hijos que pasan a ser de otras paternidades

Todos los que estamos siendo engendrados en Dios debemos retener la simiente (semilla o esperma de Dios).

1 Juan 3:9 Ninguno que es nacido de Dios practica el pecado, porque la simiente de Dios permanece en él; y no puede pecar, porque es nacido de Dios.

La palabra "practica" en Griego # 4160 /poieo/ se traduce como: producir en forma prolongada, habitualmente, desempeñar repetidamente.

1 Juan 3:10-12 En esto se reconocen los hijos de Dios y los hijos del diablo: todo aquel que no practica la justicia, no es de Dios; tampoco aquel que no ama a su hermano. [11] Porque este es el mensaje que habéis oído desde el principio: que nos amemos unos a otros; [12] no como Caín que era del maligno, y mató a su hermano. ¿Y por qué causa lo mató? Porque sus obras eran malas, y las de su hermano justas.

CAIN HIJO DE ADAN (Génesis 4:1)

Otro Ejemplo del Antiguo Testamento

1 Samuel 2:12 Mas los hijos de Elí eran hijos de Belial, y no tenían conocimiento del SEÑOR.

Otras versiones dicen que eran impíos por esa razón existe la necesidad de los re-engendramientos espirituales por si acaso tenemos la formación incorrecta. Ya sea en la religión que nos engendró algún padre espiritual; en legalismo, libertinaje; en forma tradicional, en ignorancia, o en error doctrinal. El proceso de reengendrar, es necesario en la Iglesia del Señor Jesucristo.

Gálatas 4:19 Hijitos míos, por quienes vuelvo a sufrir dolores de parto hasta que Cristo sea formado en vosotros.

De todos los que ya se mencionaron tocaremos una clase de hijos que no hemos hablado antes y estos se encuentran descriptos en el Nuevo Testamento y dice las Escrituras específicamente que están dentro de la iglesia.

Apocalipsis 2:18-23 Y escribe al ángel de la iglesia en Tiatira: "El Hijo de Dios, que tiene ojos como llama de fuego, y cuyos pies son semejantes al bronce bruñido, dice esto: [19] 'Yo conozco tus obras, tu amor, tu fe, tu servicio y tu perseverancia, y que tus obras recientes son mayores que las primeras. [20] 'Pero tengo esto contra ti: que toleras a esa mujer Jezabel, que se dice ser profetisa, y enseña y seduce a mis siervos a que cometan actos inmorales y coman cosas sacrificadas a los ídolos. [21] 'Le he dado tiempo para arrepentirse, y no quiere arrepentirse de su inmoralidad. [22] 'Mira, la postraré en cama, y a los que cometen adulterio con ella los arrojaré en gran tribulación, si no se arrepienten de las obras de ella. [23] 'Y a sus hijos mataré con pestilencia, y todas las iglesias sabrán que yo soy el que escudriña las mentes y los corazones, y os daré a cada uno según vuestras obras.

LOS HIJOS DE JEZABEL

La mayor parte de los predicadores hablamos solo del espíritu de Jezabel pero hemos olvidado de los hijos que engendró Jezabel. Son físicos y por lógica significan que operan con el espíritu de su madre.

La Fotografía de la Iglesia en le Final

Esta iglesia es como una fotografía de lo que va a pasar o está pasando, por causa de los días finales. Permítame hacer un paréntesis: En ninguna de las iglesias finales se habla de cantidades, tampoco se habla de Iglesia reunidas para conquistar; porque cada una debe cumplir con la visión específica que Dios le ha encomendado para llegar a ser galardonados.

La carta se inicia diciendo: Apocalipsis 2:18 Y

escribe al ángel de la iglesia en Tiatira: "El Hijo de Dios."

Es la única que comienza de ésta manera, a las demás le dice: Escribe al ángel de la iglesia en Éfeso: "El que tiene las siete estrellas en su mano derecha... Apocalipsis 2:1

Apocalipsis 2:8 Y escribe al ángel de la iglesia en Esmirna: "El primero y el último...

Apocalipsis 2:12 Y escribe al ángel de la iglesia en Pérgamo: "El que tiene la espada aguda de dos filos,...

Apocalipsis 2:18 Y escribe al ángel de la iglesia en Tiatira: "El Hijo de Dios, que tiene ojos como llama de fuego...

Apocalipsis 3:1 Y escribe al ángel de la iglesia en Sardis: "El que tiene los siete Espíritus de Dios y las siete estrellas...
Apocalipsis 3:7 Y escribe al ángel de la iglesia en Filadelfia: "El Santo, el Verdadero,...

Apocalipsis 3:14 Y escribe al ángel de la iglesia en Laodicea: "El Amén, el Testigo fiel y verdadero,

Se presenta como el HIJO de DIOS por que va a tratar con los hijos de Jezabel.

La Historia de Jezabel

En los días de los reyes en la era de Acab y Jezabel llegó a ser esposa de Acab. (1 Reyes 16:31). Era de origen Sidonio adoradores de Júpiter o Hércules. Jezabel y Acab tuvieron una hija llamada Athalia quien se casó con un rey llamado Joram (2 Reyes 8:18). Jezabel destruyó profetas del Señor (1 Reyes 18:4). Amenazó a muerte a Elías (1 Reyes 19:2).

Jezabel muere por medio de Jehú (2 Reyes 9).

El nombre de Jezabel significa:

- **"La no casada", en el Glosario nombres bíblicos.**
- **"Atrevida", en el Dicc. El Webster.**
- **"consagrada a su religión", en Casta el Hitchcock.**
- **"La no exaltada" en la Enciclopedia Intern.**

Bíblica.

- "Casada con Baal", otras fuentes.

Mil ochocientos años después de su muerte física, aparece en una de las iglesias de Asia. Eso nos da entender que el espíritu de Jezabel produce hijos después de su muerte.

En los Día de Juan el Bautista

El espíritu de Jezabel mata a Juan el Bautista aproximadamente en los años 30 de la vida de Jesús. El espíritu de Jezabel vino sobre dos mujeres, madre e hija. Herodías se junto con el Rey Herodes (que estaba casado). Salomé su hija y Herodías influenciaron al rey para que matara a Juan el Bautista cuya unción reposaba el espíritu del Profeta Elías.

Mateo 14:3-8 Porque Herodes había prendido a Juan, lo había atado y puesto en la cárcel por causa de Herodías, mujer de su hermano Felipe; [4] porque Juan le decía: No te es lícito tenerla. [5] Y aunque Herodes quería matarlo, tenía miedo al pueblo, porque consideraban a Juan como un profeta. [6] Pero cuando llegó el cumpleaños de Herodes, la hija de Herodías danzó ante ellos y agradó a Herodes. [7] Por lo cual le prometió con juramento darle lo que ella pidiera. [8] Ella, instigada por su madre, dijo: Dame aquí, en una bandeja la cabeza de Juan el Bautista.

La Características de Jezabel Reflejada en Sus Hijos

Apocalipsis 2:20-23 'Pero tengo esto contra ti: que toleras a esa mujer Jezabel, que se dice ser profetisa, y enseña y seduce a mis siervos a que cometan actos inmorales y coman cosas sacrificadas a los ídolos. [21] 'Le he dado tiempo para arrepentirse, y no quiere arrepentirse de su inmoralidad. [22] 'Mira, la postraré en cama, y a los que cometen adulterio con ella los arrojaré en gran tribulación, si no se arrepienten de las obras de ella. [23] 'Y a sus hijos mataré con pestilencia, y todas las iglesias sabrán que yo soy el que escudriña las mentes y los corazones, y os daré a cada uno según vuestras obras.

Apocalipsis 2:23 Y mataré á sus hijos con muerte; y todas las iglesias sabrán que yo soy el que escudriño los riñones y los corazones: y daré á cada uno de vosotros según sus obras.

La Maternidad de Jezabel

2 Reyes 9:22 Y sucedió que cuando Joram vio a Jehú, dijo: ¿Hay paz, Jehú? Y él respondió: ¿Qué paz, mientras sean tantas las prostituciones de tu madre Jezabel y sus hechicerías?

> Jehú casado con la hija de Jezabel Atalía, enseña contra lo establecido por Dios.

La palabra enseña en griego es /didasko/ #1321, que significa: Enseña ejerciendo autoridad, o estableciendo autoridad.

1 Timoteo 2:12 Yo no permito que la mujer enseñe ni que ejerza autoridad sobre el hombre, sino que permanezca callada.
Ella enseña en Didasko esto es en confrontación a lo apostólico.

Tito 2:3-4 Asimismo, las ancianas deben ser reverentes en su conducta: no calumniadoras ni esclavas de mucho vino, que enseñen lo bueno, [4] que enseñen a las jóvenes a que amen a sus maridos, a que amen a sus hijos,

ENSEÑEN #2567 /Kalodidaskalao/ significa: maestras del bien, maestras de lo bueno por amor y no por imposición.

Espíritu de Lujuria

Existen tres formas de lujuria.

- Lujuria física. (Su cuerpo y figura es muy lujurioso (a).
- Poder de lujuria. (Atrae a otros con su lujuria). Lujuria reconocida. (Sus movimientos)

Espíritu de Manipulación

Isaías 57:3 Mas vosotros venid acá, hijos de hechicera, descendientes de adúltero y ramera.

La manipulación es diferente a la motivación. Manipulan para conveniencia propia. La motivación es para buscar lo bueno, puede ser bien mutuo o plural. Jezabel manipula para su propósito.

Espíritu de No Casada

Está casada pero tiene el espíritu de no casada. No reconoce autoridad. No establece pactos verdaderos.

Espíritu de Fornicación

El verso 20 dice: "comete fornicación". Viene de la palabra /porneo/ #4203 = de ahí viene pornografía. Lujuria por mirar es igual a prostitución por mirar.
Los pecados del cuerpo pueden ser incentivados por la pornografía.

Apocalipsis 2:23 Y mataré á sus hijos con muerte; y todas las iglesias sabrán que yo soy el que escudriño los riñones y los corazones: y daré á cada uno de vosotros según sus obras.
Mataré #G615 /Apokteino/ = matar al instante (actuará Dios inmediatamente)
Muerte #G2288 /dsanatos/ = mortandad, pestilencia.

Las 10 Principales Actitudes del Espíritu de

Jezabel

1. La Idolatría. (Romanos 1:21-23)
2. Mala Influencia. (1 Reyes 21:25)
3. El menosprecio. (1 Reyes 18:4)
4. Sojuzga pidiendo reportes y si no ayuda o no la toman en cuenta, no diezma. (1 Reyes 19:1)
5. Espíritu de miedo. (1 Reyes 19:3)
6. Trata de gobernar espíritus y almas. (1 Reyes 21:3-5)
7. Matriarcado. (1 Reyes 21:6-7)
8. Usurpadora. (1 Reyes 21:8)
9. Hipocresía Religiosa.
10. Mentirosa. (1 Reyes 21-1)

Capítulo 18

Definiendo la Naturaleza del Contragolpe

Durante estos días el Señor habló a mi vida acerca de un género de espíritu negativo llamado "Contragolpe". De esto nunca antes he platicado y por eso creo es un tema que me tiene muy interesado.

Contragolpe Implica:

Una reacción violenta. Entendiendo la naturaleza de este espíritu, ahora puedo decir que lo he visto operar en varias ocasiones.

El tiempo de operación del contragolpe: Dos grandes tiempos en la guerra espiritual personal:

1. Antes de obtener una gran victoria.
2. Después de tener la victoria.

Este último es el que entra en escena con un contragolpe.

Defendiendo "Contragolpe"

Una reacción violenta que viene sobre una persona para recuperar lo que perdió el mundo espiritual de las tinieblas.

Es decir lo que tú ganaste en una batalla al mundo espiritual de las tinieblas, el espíritu de contragolpe tratará de recuperarlo, yo acabo de entender esto y me ha llevado a comprender una nueva actitud y posición que debo de tomar en la guerra espiritual.

En otras palabras significa:

Después de cada victoria que se obtiene se deberá considerar la segunda fase de la guerra espiritual (Contragolpe) para estar preparado del contragolpe del enemigo. La base bíblica que tengo es cuando Jezabel después de haber sido derrotada por Elías se levanta en un contragolpe contra él:

- El espíritu Contragolpe y el espíritu de venganza no son la misma cosa.
- El espíritu de venganza opera tomando tiempo, es decir dando espacio a que se olvide el evento para así llegar a su víctima desprevenido.
- El espíritu de contragolpe opera casi

inmediatamente de la derrota que le ocasionaron.

Base Bíblica:

1 Reyes 19:1-14 Y Acab le contó a Jezabel todo lo que Elías había hecho y cómo había matado a espada a todos los profetas. [2] Entonces Jezabel envió un mensajero a Elías, diciendo: Así me hagan los dioses y aun me añadan, si mañana a estas horas yo no he puesto tu vida como la vida de uno de ellos. [3] Él tuvo miedo, y se levantó y se fue para salvar su vida; y vino a Beerseba de Judá y dejó allí a su criado. [4] Él anduvo por el desierto un día de camino, y vino y se sentó bajo un enebro; pidió morirse y dijo: Basta ya, SEÑOR, toma mi vida porque yo no soy mejor que mis padres.

- Tuvo miedo.
- Dejó a su criado y se quedó sólo.
- Se fue al desierto.
- Pidió morirse.
- Asoció a sus padres con su muerte = ancestro

[5] Y acostándose bajo el enebro, se durmió; y he

aquí, un ángel lo tocó y le dijo: Levántate, come. [6] Entonces miró, y he aquí que a su cabecera había una torta cocida sobre piedras calientes y una vasija de agua. Comió y bebió, y volvió a acostarse.

- Se durmió = debilidad

[7] Y el ángel del SEÑOR volvió por segunda vez, lo tocó y le dijo: Levántate, come, porque es muy largo el camino para ti. [8] Se levantó, pues, y comió y bebió, y con la fuerza de aquella comida caminó cuarenta días y cuarenta noches hasta Horeb, el monte de Dios. [9] Allí entró en una cueva y pasó en ella la noche; y he aquí, vino a él la palabra del SEÑOR, y Él le dijo: ¿Qué haces aquí, Elías? [10] Y él respondió: He tenido mucho celo por el SEÑOR, Dios de los ejércitos; porque los hijos de Israel han abandonado tu pacto, han derribado tus altares y han matado a espada a tus profetas. He quedado yo solo y buscan mi vida para quitármela. [11] Entonces Él dijo: Sal y ponte en el monte delante del SEÑOR. Y he aquí que el SEÑOR pasaba. Y un grande y poderoso viento destrozaba los montes y quebraba las peñas

delante del SEÑOR; pero el SEÑOR no estaba en el viento. Después del viento, un terremoto; pero el SEÑOR no estaba en el terremoto. [12] Después del terremoto, un fuego; pero el SEÑOR no estaba en el fuego. Y después del fuego, el susurro de una brisa apacible. [13] Y sucedió que cuando Elías lo oyó, se cubrió el rostro con su manto, y salió y se puso a la entrada de la cueva. Y he aquí, una voz vino a él y le dijo: ¿Qué haces aquí, Elías? [14] Y él respondió: He tenido mucho celo por el SEÑOR, Dios de los ejércitos; porque los hijos de Israel han abandonado tu pacto, han derribado tus altares y han matado a espada a tus profetas. He quedado yo solo y buscan mi vida para quitármela.

Lo que la historia nos deja ver:

Es que no podemos solo estar enfocados en las batallas EXTERIORES, sino prestar atención a las batallas INTERIORES. Cuando hablo de las batallas interiores me refiero a problemas en el alma, en la mente, aunque no necesariamente son pecados sino problemas no resueltos en tu interior.

Lo no detectado:

De manera que lo no detectado por nosotros, o ignorado, o no reconocido es lo que el diablo usará para golpearnos fuerte a modo de sacarnos de la batalla.

El Drama de Elías:

Todo el drama de miedo de Elías, de esconderse, de pedir morirse y de andar por el desierto etc. fue por la amenaza que Jezabel le hizo.

Jezabel lanzó un "contragolpe" contra Elías para recuperar de nuevo lo perdido porque Jezabel de alguna manera conocía "la batalla interior de Elías", esto se descubre a través de lo que he llamado "El Modus Operandis de las Tinieblas" y lo explico en ese libro. (Libro de mi autoría bajo ese título)

Batallas interiores:

Se puede ser muy espiritual y así tener batallas por dentro. Las ventajas que aprovecha el espíritu de contragolpe es cuando creemos que por ser

muy espirituales no hay batallas interiores.

2 Corintios 7:5 Pues aun cuando llegamos a Macedonia, nuestro cuerpo no tuvo ningún reposo, sino que nos vimos atribulados por todos lados: por fuera, conflictos; por dentro, temores.

Las batallas <u>INTERIORES</u> que no reconocemos son las que el reino de las tinieblas aventaja para el CONTRAGOLPE.

Jezabel utilizó las batallas interiores que Elías mismo no conocía y que tenía dentro de su alma, por esa razón nosotros debemos aprender a reconocer nuestras batallas interiores.

Salmo 19:12 ¿Quién puede discernir sus propios errores? Absuélveme de los que me son ocultos.

La Historia de Elías:

Después de tener una GRAN victoria en el Monte Carmelo, haciendo descender fuego del cielo le vino un contragolpe.

1 Reyes 18:37-40 Respóndeme, oh SEÑOR,

respóndeme, para que este pueblo sepa que tú, oh SEÑOR, eres Dios, y que has hecho volver sus corazones. [38] Entonces cayó el fuego del SEÑOR, y consumió el holocausto, la leña, las piedras y el polvo, y lamió el agua de la zanja. [39] Cuando todo el pueblo lo vio, se postraron sobre su rostro y dijeron: El SEÑOR, Él es Dios; el SEÑOR, Él es Dios.
[40] Entonces Elías les dijo: Prended a los profetas de Baal, que no se escape ninguno de ellos. Los prendieron, y Elías los hizo bajar al torrente Cisón y allí los degolló.

Batallas de los Espirituales

Las grandes batallas de los espirituales se realizan en sus mentes como consecuencia de un problema en alguna parte del alma o la mente.

Elías era un varón espiritual con batallas interiores que denotaban su CONTRARIEDAD o paradoja de su personalidad.

LBA Santiago 5:17 Elías era un hombre de pasiones semejantes a las nuestras, y oró fervientemente para que no lloviera, y no llovió sobre la tierra por tres años y seis meses.

Batallas de un espiritual:

A pesar de orar, de ayunar y congregarse, continúan las batallas interiores. Un ejemplo es David: él era espiritual pero reconocía que tenía problemas en su alma, David fue el hombre que más conocía de la presencia de Dios. Somos tripartitos, tal vez nuestro problema no es el cuerpo, ni en el espíritu pero sí en nuestra alma, de manera que aún que sea espiritual en mi alma puede haber batallas interiores.

LBA **Salmo 42:1-2** Como el ciervo anhela las corrientes de agua, así suspira por ti, oh Dios, el alma mía. [2] Mi alma tiene sed de Dios, del Dios viviente; ¿cuándo vendré y me presentaré delante de Dios?

Salmo 84:10 Porque mejor es un día en tus atrios que mil fuera de ellos. Prefiero estar en el umbral de la casa de mi Dios que morar en las tiendas de impiedad.

LAS BATALLAS INTERIORES DE ELÍAS

Los 5 Problemas Interiores de Elías

1- Tenía pocos amigos:

Y eso es un gran problema cuando hay batallas interiores. Cuando nosotros estamos solos y con batallas interiores, nuestra mente toma control y nos lleva a razonar y desear lo negativo. Elías se quedó solo, fue al desierto y se sentó bajo un enebro y comenzó a razonar y pidió morirse.

- <u>Disfuncional</u>: Cuando uno está solo y con batallas interiores la persona que nos habla es la más disfuncional del mundo en ese momento porque esa persona es uno mismo.
- <u>No es bueno estar solo</u>: Dios dice no es bueno que el hombre este solo. A pesar que Elías era el fundador de 3 escuelas de profetas (Los hijos de los profetas) pero nunca le llamaron padre solo Eliseo.

Cuando estés en batallas espirituales interiores NO

TE AISLES, busca ayuda.

La verdad es que todos necesitamos personas que nos oigan y nos hablen y nos ubiquen con la verdad. No nos son útil aquellas personas que sabiendo que estamos mal nos dicen que estamos bien sino aquella que nos dicen la verdad aunque nos moleste.

2- Afanado por las victorias:

Siempre estaba enfocado en algo más que vencer. Una cosa es que en tu caminar encuentras los obstáculos y batallas y tienes que pelear y otra es que tú andes tras las batallas.

- El reposo: No reposaba como consecuencia caía en debilidad...depresión.
- No esperaba por las luchas, él iba a ellas.
- Profeta de batalla: Elías era considerado un profeta que le gustaba mucho las peleas y siempre estaba donde había peleas...pero tenía problemas por dentro.
- Y esas batallas lo aprovechaban sus enemigos.

3- Elías relacionó su muerte a la de sus padres:

"No soy mejor que mis padres", significa ANCESTROS y como decir ellos eran mejores que mí y pidieron morirse, eso deseaba también Elías.

- **Conformado a que le pasara lo mismo que sus padres...Ellos habían muerto, le pidieron a Dios que los matara.**
- **En su debilidad se daba por vencido y se conformaba a repetir la historia de sus padres en vez de cambiar la historia.**

4- Caía en debilidad constantemente:

Cuando tú estás débil, las batallas interiores vienen a ser más fuertes que nunca.

5- Preocupado por la crisis de hambruna:

Cuatro veces le dieron de comer. Por la debilidad que Elías sentía no hizo otra cosa más que estar enfocado por la comida que lo sustentaría.

- **La hambruna: Preocupado por la crisis**

económica (Hambruna).

- Elías durante 3 años se enfocó en la hambruna...pensaba mucho en ello.
- Las 4 comidas del profeta: Nos hablan de la preocupación que la tenía por el sustento.
- Pensaba mucho en el alimento y por ello la Biblia enfatiza la comida con relación a Elías.
- La preocupación ocupa el lugar de Dios.
- Los cuervos le dieron de comer en el arroyo de Querit... 1 Reyes 17:3-4 [3] Sal de aquí y dirígete hacia el oriente, y escóndete junto al arroyo Querit, que está al oriente del Jordán. [4] Y beberás del arroyo, y he ordenado a los cuervos que te sustenten allí.
- La viuda de Sarepta le dio de comer... 1 Reyes 17:10-11 [10] Él se levantó y fue a Sarepta. Cuando llegó a la entrada de la ciudad, he aquí, allí estaba una viuda recogiendo leña, y la llamó y le dijo: Te ruego que me consigas un poco de agua en un vaso para que yo beba. [11] Cuando ella iba a conseguirla, la llamó y le dijo: Te ruego que me traigas también un bocado de pan en tu mano.
- El ángel le dio de comer debajo del enebro... 1 Reyes 19:4-6 [4] Él anduvo por el desierto un día

de camino, y vino y se sentó bajo un enebro; pidió morirse y dijo: Basta ya, SEÑOR, toma mi vida porque yo no soy mejor que mis padres. [5] Y acostándose bajo el enebro, se durmió; y he aquí, un ángel lo tocó y le dijo: Levántate, come. [6] Entonces miró, y he aquí que a su cabecera había una torta cocida sobre piedras calientes y una vasija de agua. Comió y bebió, y volvió a acostarse.

- El ángel le dio de comer nuevamente para aguantar 40 días. Este fue cambio de dieta contra la preocupación... 1 Reyes 19:7-8 [7] Y el ángel del SEÑOR volvió por segunda vez, lo tocó y le dijo: Levántate, come, porque es muy largo el camino para ti. [8] Se levantó, pues, y comió y bebió, y con la fuerza de aquella comida caminó cuarenta días y cuarenta noches hasta Horeb, el monte de Dios.

Así hay muchos hijos espirituales preocupados por el alimento, pasando por alto las promesas de Dios, promesas como las que nos dicen que no hay justo desamparado. Esas son batallas interiores, la preocupación: el afán produce preocupación y la preocupación roba la habilidad de disfrutar lo que ya se tiene. Lo que nos enseña esto es que cuando tu estas débil es el tiempo para cambiar de DIETA espiritual. Deja de comer comida ligera y come algo solido, revelación, un rema poderoso.

El ángel le cambiaba la dieta a Elías para sacarlo de la debilidad y para que nosotros cambiemos de dieta hay que seguir lo siguiente: Oye palabra, busca, ámala, ven a oír palabra solida cada vez que te congregas porque tú tienes que poner otra comida en tu mente.

Una comida que no sustente tu pasado sino tu futuro para reducir tu batalla interior y salgas del problema. Una comida no para hoy sino para dónde vas. Mucha gente está muy afanada en ser un espiritual pero no está alimentando su alma con comida que te de la fuerza de seguir adelante.

¿Quiénes Estuvieron Bajo Ataque del Contragolpe?

1- Sansón:

Después de ocasionar perdidas a los filisteos cayó

bajo el contragolpe de los filisteo utilizando a Dalila que significa debilidad. La batalla interior de Sansón era porque fue un hombre privado de placer.

2- David:

Después de conquistar varias batallas contra los enemigos de Israel, cayó bajo el ataque del espíritu contragolpe, llevándolo a la grandeza e inmoralidad. La batalla de David era el rechazo de su infancia de manera que lo llevó a pensar que ahora como rey tenía derecho de todo y tomó a una mujer que no le pertenecía.

Conclusión

Las batallas interiores que no le damos importancia son las que el espíritu contragolpe aprovecha para retomar la victoria sobre la derrota que le provocamos antes.

Capítulo 19

Las 3 Grandes Armas Contra el Espíritu de Contragolpe

Después de haber entendido la naturaleza del espíritu contragolpe, quisiera hablar de las armas que pueden detener y destruir el intento de contragolpe del reino de las tinieblas. **Esto es como aprender a vestirnos para llevar una vida victoriosa en todo momento.**

2 Corintios 10:4 porque las armas de nuestra contienda no son carnales, sino poderosas en Dios para la destrucción de fortalezas;

Problemas

Uno de los grandes problemas de muchos cristianos es el creer que para mantenerse en victoria se requiere de una sola cosa.

> La verdadera vestidura para la victoria es la suma de varias cosas.

Efesios 6:11-12 Revestíos con toda la armadura de Dios para que podáis estar firmes contra las insidias del diablo. [12] Porque nuestra lucha no es contra sangre y carne, sino contra principados, contra potestades, contra los poderes de este mundo de tinieblas, contra las huestes espirituales de maldad en las regiones celestes.

Ideas Cerradas

1) **Algunas personas creen que basta solo la unción para vencer.** (Sansón era ungido y no le bastó)
2) **Otros creen solo la fe.** (Los demonios también creen y tiemblan)
3) **Y otros solo ayunar.**

Repito que es la suma de varias cosas. Y eso me dispongo a explicar en este capítulo. Mi oración es que Ud. no tenga en poco esto y que aproveche la revelación que vienen de Dios, ¡quizás en el próximo intento del espíritu contragolpe usted ya no será sorprendido!. Amén.

"La fe", No es el arma sino la base o el fundamento que usamos para que operen las armas que derrotaran al espíritu de contragolpe.

LA PRIMERA ARMA PARA EL CONTRAGOLPE

Mateo 18:19-20 Además os digo, que si dos de vosotros se ponen de acuerdo sobre cualquier cosa que pidan aquí en la tierra, les será hecho por mi Padre que está en los cielos. [20] Porque donde están dos o tres reunidos en mi nombre, allí estoy yo en medio de ellos.

Según el pasaje, ¿Cuál es esta arma que destruye el contragolpe? La oración.

La oración es una herramienta de comunicación con Dios y poderosa arma. El evangelio de Mateo es el libro que más enfatiza la oración. Mateo es el que promete que Dios presta atención a nuestras oraciones, sin embargo es importante entender la operación de la oración.

Entendiendo la Voluntad de la Oración

La oración es una petición que se le hace al Señor con sabiduría.

Santiago 4:3 Pedís y no recibís, porque pedís con malos propósitos, para gastarlo en vuestros placeres.

Santiago 4:2 Codiciáis y no tenéis, por eso cometéis homicidio. Sois envidiosos y no podéis obtener, por eso combatís y hacéis guerra.

Cuando se está en batalla contra el espíritu contragolpe hay que ser muy cuidadoso con la oración que hacemos, es decir que nuestra oración no sea trastocada y nos lleve a pedir algo que no es la voluntad de Dios porque te lo puede dar para tu propia derrota.

Mucha gente pierde la batalla de contragolpe porque su oración es **contra la voluntad** de Dios. Veamos un ejemplo de la oración con un espíritu negativo, o motivada por un espíritu negativo que fue concedida por Cristo

Mateo 8:31-32 y los demonios le rogaban, diciendo: Si vas a echarnos fuera, mándanos a la piara de cerdos. [32] Entonces Él les dijo: ¡Id! Y ellos salieron y entraron en los cerdos; y he aquí que la piara entera se precipitó por un despeñadero al mar, y perecieron en las aguas.

Cristo concedió a los demonios la petición. (Con temor lo escribo)

Marcos 5:10-13 Entonces le rogaba con insistencia que no los enviara fuera de la tierra... [12] Y los demonios le rogaron, diciendo: Envíanos a los cerdos para que entremos en ellos. [13] Y Él les dio permiso. Y saliendo los espíritus inmundos, entraron en los cerdos; y la piara, unos dos mil, se precipitó por un despeñadero al mar, y en el mar se ahogaron.

Ejemplos de oración CONTRAVOLUNTAD:

1) Una relación que no conviene y ellos oran para que sea aceptada por Dios = Yugo Desigual.
2) Hay gente que ya recibió consejo de su autoridad espiritual respecto al yugo e insiste en su necedad el continuar con una relación de yugo desigual. A ese le contestarán su petición para su propia lección.
3) Moverse a otro lugar sin ser la voluntad de Dios = De Belem a Moab. Movido

por sentimientos, por desesperación, por orgullo.

4) Realizar una actividad que no te han llamado = Saúl siendo rey, hizo actividad sacerdotal y no reconocer el tiempo y la confirmación.

5) Pedir algo material que no puedes sobre llevar e insistir pidiéndolo.

Arma #1

El entendimiento de nuestra petición a Dios es el arma para el espíritu contragolpe es decir que nuestra oración no sea contra voluntad de Dios.

Mateo 7:7-8 Pedid, y se os dará; buscad, y hallaréis; llamad, y se os abrirá. [8] Porque todo el que pide, recibe; y el que busca, halla; y al que llama, se le abrirá.

Pedid, buscad y llamad implica entendimiento.

1) Orad = pedid a Dios
2) Buscad = espera la revelación
3) Llamad = consulta en consejo

LA SEGTUNDA ARMA PARA EL CONTRAGOLPE

Salmo 149:5-9 Regocíjense de gloria los santos; canten con gozo sobre sus camas. [6] Sean los loores de Dios en su boca, y una espada de dos filos en su mano, [7] para ejecutar venganza en las naciones, y castigo en los pueblos; [8] para atar a sus reyes con cadenas, y a sus nobles con grillos de hierro; [9] para ejecutar en ellos el juicio decretado: esto es gloria para todos sus santos. ¡Aleluya!

Según el pasaje, ¿Cuál es la siguiente arma que destruye el contragolpe? La adoración y alabanza. La adoración y la alabanza es un arma para el contragolpe del reino de las tinieblas.

1 Samuel 16:23 Sucedía que cuando el espíritu malo de parte de Dios venía a Saúl, David tomaba el arpa, la tocaba con su mano, y Saúl se calmaba y se ponía bien, y el espíritu malo se apartaba de él.

Pero no toda alabanza y adoración es un arma contra Satanás, no es a toda la alabanza y adoración que le teme Satanás, porque la conoce muy bien. Le teme solo cuando un hijo de Dios la entiende bien y la usa como un arma de verdad. Entendiendo la adoración y alabanza como un arma: Según Salmos 149:5-6 la alabanza es un arma que ata a potestades.

Satanás no le teme a cualquier alabanza porque el usa también la música como **contragolpe**. Así como una música ungida y poderosa te puede hacer libre.

Como lo es una música **contraria** o negativa puede desatar una conducta pecaminosa y/o negativa. Hay creyentes en constante batallas que pierden su victoria contra el espíritu contragolpe porque son esclavos de la música **contraria** o música mundana. Recordemos que la palabra música viene de la raíz /musa/ que significa "Genio" o una potestad que inspira para hacer música.

Isaías 14:11-12 "Han sido derribadas al Seol tu ostentación y la música de tus arpas; debajo de ti las larvas se extienden como cama, y los gusanos son tu cobertura." [12] ¡Cómo has caído del cielo, oh lucero de la mañana, hijo de la aurora! Has sido derribado por tierra, tú que debilitabas a las naciones.

La Música y Su Influencia

Los tipos de canciones en el mundo que tienen influencia negativa.

Salmo 69:12 Hablan de mí los que se sientan a la puerta, y soy la canción de los borrachos.

Por ejemplo: La canción de la gente bajo la influencia del alcohol y que les recuerda su pasado negativo, de dolor, de traición o de pecado.

Eclesiastés 7:5 Mejor es oír la reprensión del sabio que oír la canción de los necios.

Por ejemplo: Las canciones que niegan a Dios; como ejemplo - Gracias a la vida – gracias a ti-Y no a Dios.

Isaías 23:15 Y acontecerá en aquel día que Tiro será olvidada por setenta años, como los días de un rey. Al cabo de los setenta años le sucederá a Tiro como en la canción de la ramera:

Por ejemplo: Las canciones donde se seduce a las personas, se cantan desde las cantinas y sugieren prostitución.

Proverbios 25:20 Como el que se quita la ropa en día de frío, o como el vinagre sobre la soda, es el que canta canciones a un corazón afligido.

Por ejemplo: Las canciones que ministran depresión, desanimo, tristeza.

Isaías 23:16 Toma la lira, anda por la ciudad, oh ramera olvidada; tañe hábilmente las cuerdas, canta muchas canciones, para que seas recordada.

Por ejemplo: Canciones que te hacen recordar el pasado.

La oración. La alabanza ungida y correcta es el arma que teme Satanás.

Arma #2

Si un creyente esta en batallas con el espíritu contragolpe y oye música mundana, ese espíritu tiene una ventaja sobre la persona pero para mantener la victoria purifica tus oídos y el alma de toda música contraria.

LA TERCERA ARMA PARA EL CONTRAGOLPE

1 Samuel 15:22 Y Samuel dijo: ¿Se complace el SEÑOR tanto en holocaustos y sacrificios como en la obediencia a la voz del SEÑOR? He aquí, el obedecer es mejor que un sacrificio, y el prestar atención, que la grosura de los carneros.

Según el pasaje, ¿Cuál es la siguiente arma que destruye el contragolpe? La obediencia a Dios.

- La obediencia es otra arma para no ser derrotado por el espíritu **contragolpe.**
- Lo que más desea Dios es obediencia.

- Y lo que más teme Satanás es obediencia.

Obediencia

La palabra hebrea obedecer es /shama/ y significa, oír con inteligencia y atención. En griego: Es poner atención y escuchar.

Entendiendo la obediencia como un arma:

Uno de las leyes de la obediencia es que al obedecer se te da todo y al desobedecer se te quita todo. El obedecer te hace acreedor de bendiciones y el desobedecer te hace acreedor de maldiciones.

LBA **Deuteronomio 28:1-2** Y sucederá que si obedeces diligentemente al SEÑOR tu Dios, cuidando de cumplir todos sus mandamientos que yo te mando hoy, el SEÑOR tu Dios te pondrá en alto sobre todas las naciones de la tierra. [2] Y todas estas bendiciones vendrán sobre ti y te alcanzarán, si obedeces al SEÑOR tu Dios:

Deuteronomio 28:15 Pero sucederá que si no obedeces al SEÑOR tu Dios, guardando todos sus mandamientos y estatutos que te ordeno hoy, vendrán sobre ti todas estas maldiciones y te alcanzarán:

Adán:

Perdió el huerto de Dios por desobediencia. La serpiente no desgastó su energía sólo los llevó a la desobediencia y ellos perdieron todo.

1) Se pierde territorio.
2) Se pierde unción.
3) Se pierde energía.
4) Se pierde poder.
5) Se pierde fuerza.
6) Se pierde influencia.
7) Se pierde bienes.
8) Se pierde comunión con Dios.
9) Se pierde posesiones.
10) Se pierde posiciones.

La desobediencia es la gran arma contragolpe del reino de las tinieblas porque la persona lo hace todo, es decir que el espíritu contragolpe no gasta energía solo espera que la persona desobedezca porque sabe que pierde todo.

La Obediencia y Desobediencia

Cuando una persona desobedece batalla entre sí misma y da lugar a la contrariedad o contradicción de sí mismo (paradoja de la persona)

Tu espíritu siempre quiere obedecer pero tu carne se resiste esa contrariedad es la que utiliza el espíritu contragolpe.

El hombre es la creación que le cuesta obedecer.

Los vientos le obedecen

Mateo 8:27 Y los hombres se maravillaron, diciendo: ¿Quién es éste, que aun los vientos y el mar le obedecen?

Los espíritus inmundos le obedecen

Marcos 1:27 Y todos se asombraron de tal manera que discutían entre sí, diciendo: ¿Qué es esto? ¡Una enseñanza nueva con autoridad! Él manda aun a los espíritus inmundos y le obedecen.

Pero el ser humano batalla con obedecer a Dios y por eso no mantiene su victoria.

Arma #3

Aprende a obedecer en las pequeñas cosas para cuando venga la demanda de obediencia sobre las cosas grandes estés preparado para responder.

Si usted desea saber más acerca del poder de la obediencia lea mi libro bajo ese título.

ESCUELA DE INTERCESORES

SEGUNDO NIVEL

DR MARIO H. RIVERA

ESCUELA DE INTERCESORES

PRIMER NIVEL

APOSTOL MARIO H. RIVERA

Los
Niveles
De La
Comunicación
Divina
Apostol Mario H. Rivera
Pastora Luz Rivera
APELACIÓN
INTERCESIÓN
GEMIR
CLAMOR
ORACIÓN
Los Niveles De La Comunicacion Divina
DR. MARIO H. RIVERA
PASTORA LUZ RIVERA

LAS PUERTAS DEL HADES NO PREVALECERAN
CONTRA MI IGLESIA
DR. MARIO H. RIVERA
PASTORA LUZ RIVERA
LAC
LAS PUERTAS DEL HADES
NO PREVALECERAN
CONTRA MI
IGLESIA
DR. MARIO H. RIVERA
PASTORA LUZ RIVERA

LA CIENCIA ARCAICA
DE LA
ESCLAVITUD
Y LA REVELACIÓN DIVINA QUE LA DESTRUYE
DR. MARIO H. & PASTORA LUZ RIVERA

EL MISTERIO DE LA INIQUIDAD
DR. MARIO H. RIVERA
PASTORA LUZ RIVERA
LIBRO# 11 SERIE: "EQUIPAMIENTO INTEGRAL
PARA COMBATIENTES DE LIBERACIÓN"
EL MISTERIO DE LA
INIQUIDAD
DR. MARIO H. RIVERA
PASTORA LUZ RIVERA

SERIE: EQUIPAMIENTO INTEGRAL PARA COMBATIENTES DE LIBERACION #10
EL MUNDO DE LOS
ESPIRITUS
DR. MARIO H. RIVERA
PASTORA LUZ RIVERA

Serie: Equipamiento Integral
Para Combatientes De Liberación #9
LA PALESTRA DEL
GUERRERO
ESPIRITUAL
Dr. Mario H. Rivera
Pastora Luz Rivera
LA PALESTRA DEL GUERRERO
DR. MARIO H. RIVERA
PASTORA LUZ RIVERA
#9

SERIE EQUIPAMIENTO INTEGRAL PARA COMBATIENTES DE LIBERACION #8
LAS RAICES DEL
ABISMO
IRA
VICIOS
TRISTEZA
ESTRES
ACUSACION
SEPARACION DE DIOS
CONDENACION
DR. MARIO H. RIVERA

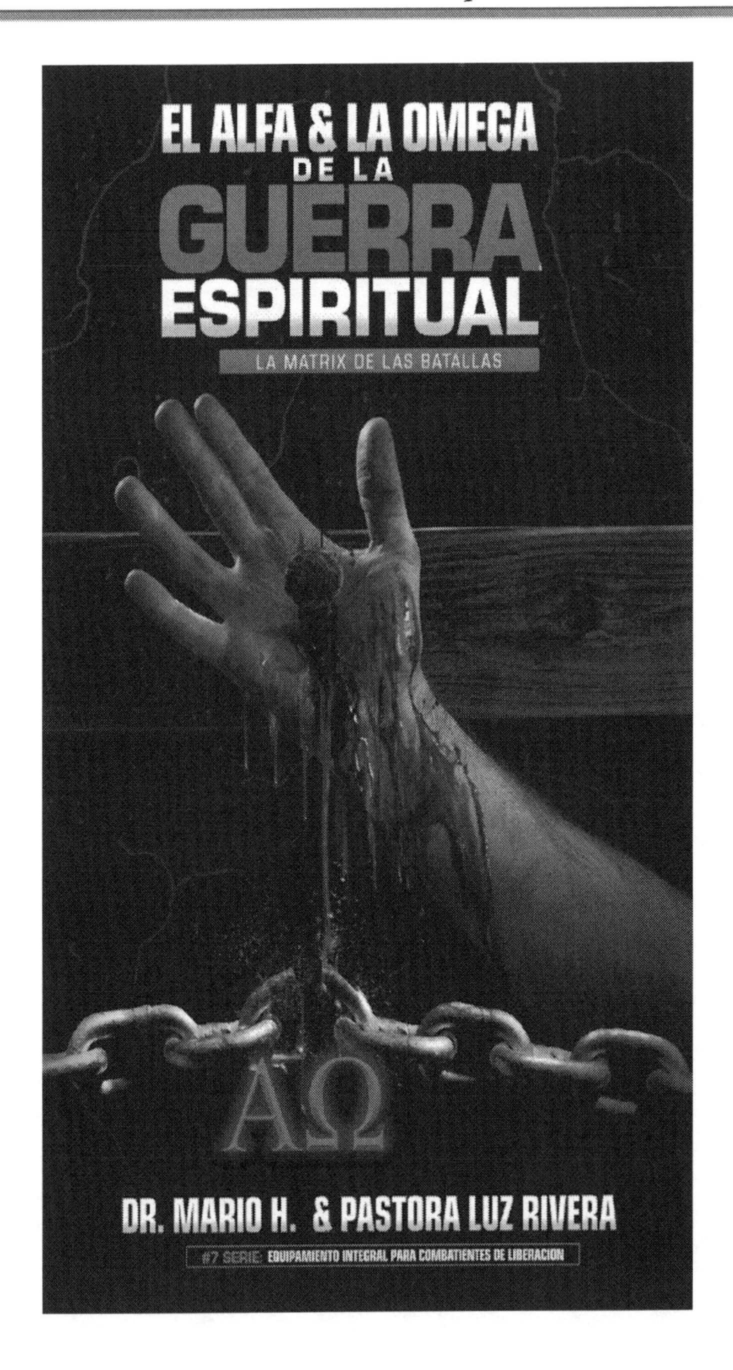
EL ALFA & LA OMEGA
DE LA
GUERRA
ESPIRITUAL
LA MATRIX DE LAS BATALLAS
AΩ
DR. MARIO H. & PASTORA LUZ RIVERA
#7 SERIE: EQUIPAMIENTO INTEGRAL PARA COMBATIENTES DE LIBERACION

#6 SERIE EQUIPAMIENTO INTEGRAL PARA COMBATIENTES DE LIBERACIÓN
EL ALMA VIVIENTE
SANIDAD INTERIOR #2
DR. MARIO H. & PASTORA LUZ RIVERA
EL ALMA VIVIENTE
DR. MARIO H. & PASTORA LUZ RIVERA

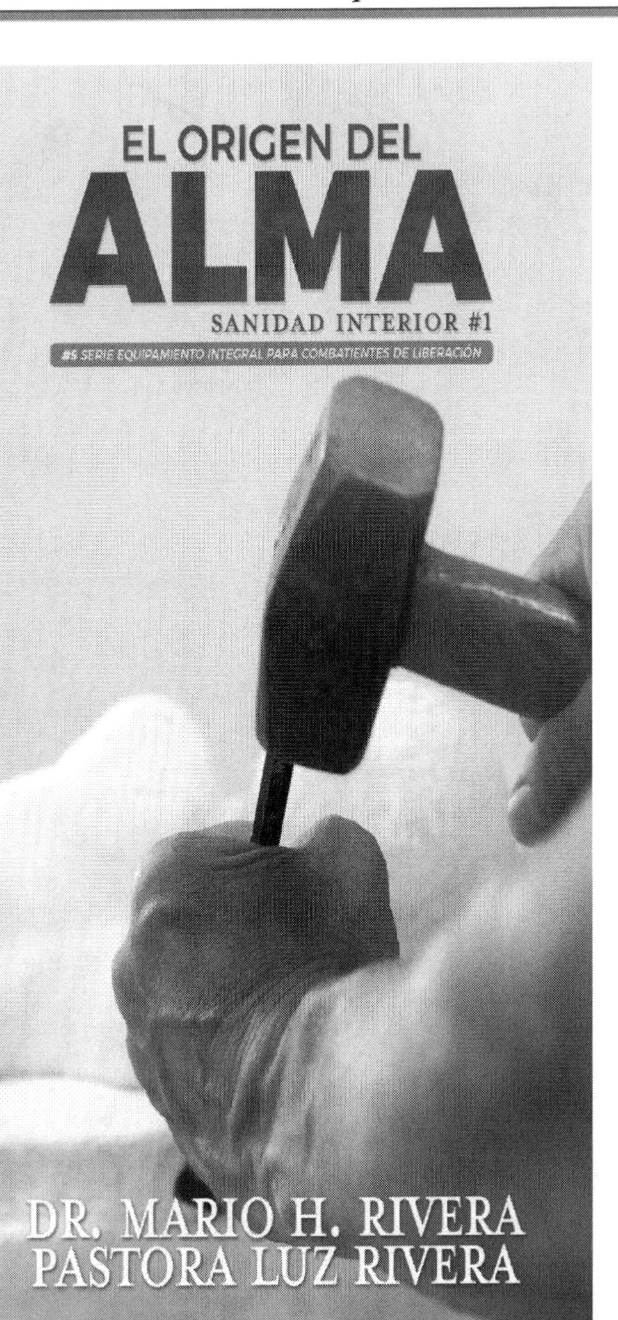
EL ORIGEN DEL
ALMA
SANIDAD INTERIOR #1
#5 SERIE EQUIPAMIENTO INTEGRAL PARA COMBATIENTES DE LIBERACIÓN
DR. MARIO H. RIVERA
PASTORA LUZ RIVERA
EL ORIGEN DEL ALMA
DR. MARIO H. RIVERA
PASTORA LUZ RIVERA

EL REGIMEN
JURIDICO
DE LOS DERECHOS
ESPIRTUALES
EQUIPAMIENTO INTEGRAL PARA COMBATIENTES DE LIBERACIÓN
LIBRO
4
DR. MARIO H. RIVERA & PASTORA LUZ RIVERA

TOMO 3: EDICION MINISTERIAL
LOS
ANCESTROS
LIBERACIÓN DE LA GENÉTICA Y EPIGENÉTICA
SERIE: EQUIPAMIENTO INTEGRAL PARA COMBATIENTES DE LIBERACIÓN
DR. MARIO H. RIVERA & PASTORA LUZ RIVERA

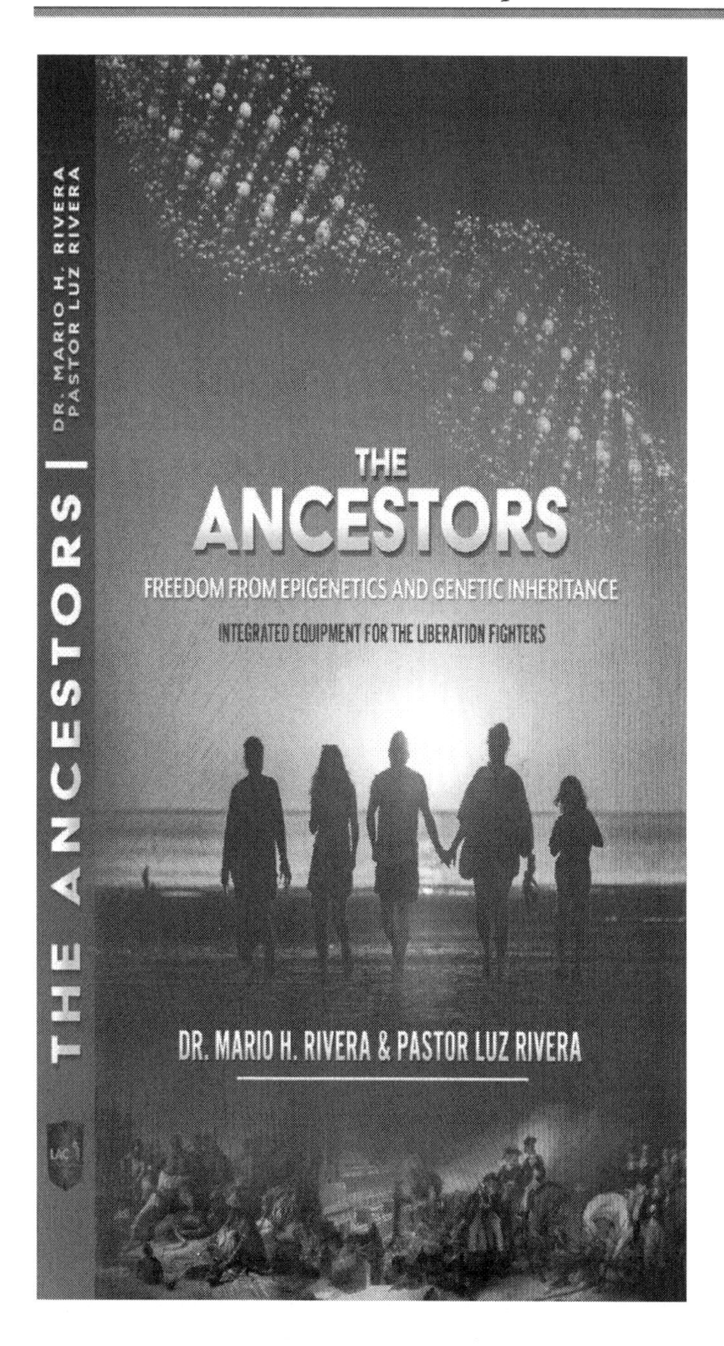
THE ANCESTORS
DR. MARIO H. RIVERA
PASTOR LUZ RIVERA
THE
ANCESTORS
FREEDOM FROM EPIGENETICS AND GENETIC INHERITANCE
INTEGRATED EQUIPMENT FOR THE LIBERATION FIGHTERS
DR. MARIO H. RIVERA & PASTOR LUZ RIVERA

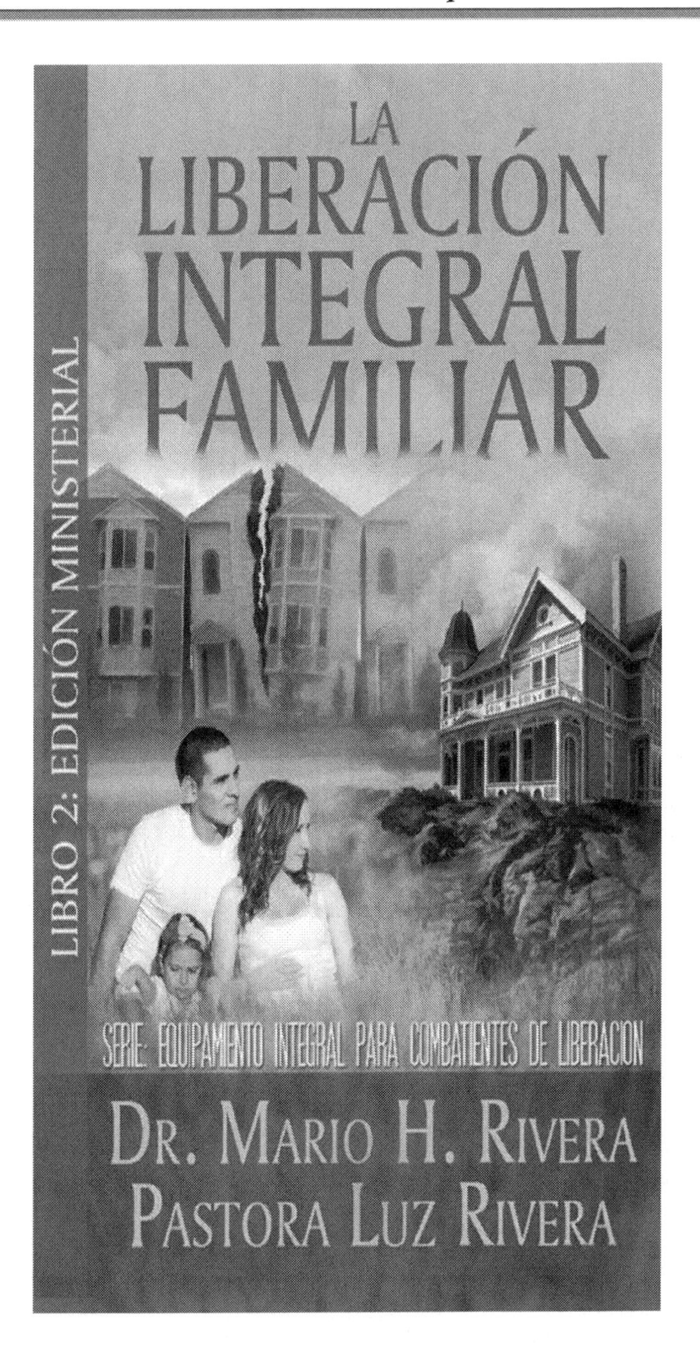
LA
LIBERACIÓN
INTEGRAL
FAMILIAR
LIBRO 2: EDICIÓN MINISTERIAL
SERIE: EQUIPAMIENTO INTEGRAL PARA COMBATIENTES DE LIBERACION
DR. MARIO H. RIVERA
PASTORA LUZ RIVERA

LIBRO 1
EDICION MINISTERIAL
LAS HERRAMIENTAS DEL
LIBERTADOR
EQUIPAMIENTO INTEGRAL PARA COMBATIENTES DE LIBERACIÓN
DR. MARIO H. RIVERA
PASTORA LUZ RIVERA

DESTRUYENDO
LAS HERRAMIENTAS
ARCAICAS
DE LAS TINIEBLAS
DR. MARIO H. RIVERA
DESTRUYENDO LAS HERRAMIENTAS ARCAICAS DE LAS TINIEBLAS | DR. MARIO H. RIVERA

MODUS OPERANDI DE LAS TINIEBLAS | Dr. Mario H. Rivera
MODUS
OPERANDI
DE LAS
TINIEBLAS
Dr. Mario H. Rivera

LA INGENIERIA DEL ALMA IMPIA
DR. MARIO H. RIVERA
PASTORA LUZ RIVERA
LA INGENIERIA DEL
ALMA IMPIA
DR. MARIO H. RIVERA
PASTORA LUZ RIVERA

EL MODUS OPERANDI DE LA TENTACIÓN Y LAS ADICCIONES | DR. MARIO H. RIVERA

EL MODUS OPERANDI
DE LA
TENTACIÓN
Y LAS
ADICCIONES

Dr. Mario H. Rivera

Made in the USA
Columbia, SC
26 March 2021

35080440R00174